Næring til sjælen

# WAYNE W. DYER

# Næring til sjælen

## Inspiration til hver dag i året

OVERSAT AF FRANK ROBERT PEDERSEN

BORGEN

*NÆRING TIL SJÆLEN*
Oversat fra engelsk af Frank Robert Pedersen

Originalens titel: **YOU ARE WHAT YOU THINK**
Copyright © 2019 Hay House Inc.
First Published in English in 2019 by Hay House Inc. US

Dansk udgave © Borgens Forlag, Gyldendal A/S 2019
Dansk redaktion: Katrine Møller
Produktion: Kasper Fischer
Omslag: Christine Clemmensen
Sats: ansats@provinsen

Trykt hos CPI - Clausen & Bosse, Leck
Printed in Germany 2019

ISBN: 978-87-02-29079-0
1. udgave, 1. oplag
www.gyldendal.dk
www.borgen.dk

Bogen er trykt på FSC®-mærket papir.
Flere oplysninger på www.FSC.dk

*En dag, da jeg kom hjem fra skole, spurgte jeg
min mor: „Hvad er en elefant med skørbug?"
„Det ved jeg ikke. Jeg ved ikke,
hvad en elefant med skørbug er. Hvorfor?" svarede hun.
„Jo, jeg hørte læreren sige, at
Wayne Dyer var en skørbugsramt elefant i klassen."
Hun for hen til telefonen og fik fat i
læreren, og læreren sagde: „Nej, det har jeg
overhovedet ikke sagt. Jeg sagde, at Wayne var et
forstyrrende element i klassen."
Jeg har altid været den skørbugsramte elefant.*

# INDLEDNING

Kan du huske, første gang du stødte på Wayne W. Dyers ord? Mange af os har glade minder fra dengang, vi så en af hans særudsendelser på PBS (amerikansk tv-station, o.a.) eller så ham stå på scenen og tale ved et af de arrangementer, han elskede at være til år efter år. Måske stod du og kiggede på hylderne i en boghandel og følte dig tiltrukket af en titel blot for at opdage ord, som kom til at ændre kursen på resten af dit liv. Uanset hvordan vi opdagede ham, blev så manges liv berørt af hans karismatiske og på samme tid jordnære måde at tale og skrive på.

Hvis dette er dit første møde med Waynes visdom, kan det imidlertid være, at du spekulerer på, hvem denne mand er, og hvad du har i vente med denne bog! Som en af Hay Houses mest elskede forfattere, kendt over hele verden som „motivationens fader", stod Wayne i årtier i spidsen for bevægelsen inden for personlig udvikling. Han var uendelig nysgerrig med hensyn til nye ideer og nye indfaldsvinkler til psykologi og spiritualitet, altid begejstret for at kaste sig hovedkulds ud i et nyt eventyr for bagefter at dele det med os, han havde fundet ud af. Han var enestående som taler, skribent og personlighed, og hans indsigter nåede ud til millioner af mennesker i løbet af hans lange og produktive karriere.

Historien om Waynes start som forfatter er legendarisk – i 1976, hvor han skrev sin første bog, *Your Erroneous Zones* (*Forny dig selv*, Borgen, 1999), var de almindelige udgivelseskanaler ikke i stand til at promovere hans budskab til folk om, hvordan de overvinder fejl i deres tænkning. Så Wayne købte bøgerne af sin forlægger, anbragte dem i bagagerummet på sin bil og kørte af sted på jagt efter små radio- og tv-stationer, som ville give ham en chance for at få sit banebrydende budskab ud. Og publikum responderede – omstillingsbordene blev kimet ned af seere og lyttere, der spurgte, hvor de kunne købe hans bøger. Hans store gennembrud kom, da han fik et fast indslag i *The Tonight Show* med Johnny Carson. Med denne landsdækkende platform at udbrede sit budskab på gik der ikke lang tid, før han medvirkede i andre af den tids populære udsendelser, blandt andet *The Phil Donahue Show*, talkshowet *Today*, *The Merv Griffin Show* og *Good Morning America*. *Your Erroneous Zones* blev dette årtis bedst solgte faglitterære bog, som endte med at udkomme på 47 sprog over hele kloden med et salgstal på over 100 millioner eksemplarer verden over. Snart fulgte andre succesfulde bøger om psykologi efter.

Efter en tid begyndte Wayne at bevæge sig væk fra den traditionelle psykologi som grundlaget for sit budskab. Et møde med Viktor Frankl inspirerede ham til at dedikere sig til at undervise og leve ud fra det, han fandt meningsfuldt. Han begyndte at lade sig inspirere af nye spirituelle indsigter og følte et kald til at skrive om personlig og spirituel udvikling. Han følte sig draget mod værker af store filosoffer og værker om østlig og vestlig spirituel visdom, fra Bhagavadgita og Dao De Jing til Det Nye Testamente. Han affejede sin forlægger og agents daværende skepsis og fulgte tillidsfuldt sin dharma. Hans nye bøger blev varmt modtaget af læserne, og han fik sin debut på *New York Times'* bestsellerliste.

Gennem hele sin karriere havde Wayne en række redaktører og forlæggere, som på forskellige måder støttede udviklingen af hans budskab. Da han omsider landede på Hay House i 1990'erne, fandt han imidlertid sit spirituelle hjem og et støttende miljø resten af sine dage. I løbet af de to årtier, han var hos Hay House, fortsatte han med at dyrke og forfine sit spirituelle budskab og udgav adskillige *New York Times*-bestsellere, blandt andet *10 Secrets for Success and Inner Peace*, *The Power of Intention* (*Intentionens kraft*, Borgen, 2005), *Inspiration, Change Your Thoughts – Change Your Life, Excuses Begone!, Wishes Fulfilled* (*Fra ønske til virkelighed,* Borgen, 2017) og *I Can See Clearly Now,* der alle var med i særudsendelser på landsdækkende tv.

Wayne veg aldrig tilbage fra en tæt kontakt med sine fans, og hans generøsitet og støtte, når han hjalp andre med at finde deres stemme, var legendarisk. Han mødte så mange inspirerende mennesker på uventede og heldige måder, og når han blev forundret over nogen, insisterede han på at lære deres historie at kende – og hjælpe dem med at dele den med verden. Nogle ledsagede ham som foredragsholdere eller for at optræde ved forskellige arrangementer som Dan Caro, den inspirerende unge mand, der blev jazztrommeslager, selv om en brand havde berøvet ham hans hænder. Nogle blev forfattere og fik udgivet deres værker, blandt andet Anita Moorjani og Immaculée Ilibagiza, som nu begge er *New York Times*-bestsellerforfattere og internationalt kendte motivationstalere.

◆◆

I denne hyldestbog med citater er vi på Hay House stolte af at kunne tilbyde et udsnit af Waynes inspirerende indsigter samlet på ét sted. Wayne gjorde det at udtrykke sine ideer til en livslang praksis, og han nåede at mestre selvudtrykket på en måde, som kun kommer med sand dedikation. Det vil måske komme bag på dig, at der er så stor spændvidde i udtrykkene – sommetider udviklingen af en kompleks tanke, sommetider den perfekte aforisme i form af en vittighed. Hvordan kunne Waynes forfatterskab anslå så mange forskellige og spændende toner? Vi tror på, at når det at skrive er en daglig praksis, bliver egoets selvbevidste planer indordnet under sindet og ånden og indstillet på større stemmer og mere omfattende tankestrømme – nogle, der udspringer af bevidstheden, og nogle, der kommer fra ukendt land. Og ligesom Wayne har vi alle forskellige stemmer, som svæver rundt inden i os. Uanset hvilke stemmer vi hører – gamle forældrestemmer, kærlige stemmer fra vores partner, opmuntrende stemmer fra vores terapeut, advarende stemmer, som på en eller anden måde er imod os, eller uventet vejledning fra ukendte kilder – det er alt sammen en lejlighed til at opnå indsigt eller vækst.

Denne bog kan bruges på mange måder. I læst rækkefølge fra første til sidste side kan du bruge den som et dagligt møde med en af Waynes mange stemmer. Hver dags budskab er måske, måske ikke, i trit med det, din dag bringer, men det vil helt sikkert stimulere dig. Du kan betragte citatet som noget at være i samklang med eller noget at diskutere med. Du kan også søge vejledning på bestemte datoer, som har betydning for dig, for eksempel fødselsdage, mindedage for elskede mennesker eller dage, hvor der skal ske noget vigtigt. Eller du kan bruge bogen som et tilfældighedsorakel: Slå op på en hvilken som helst side, og se, hvad synkroniciteten gør dig opmærksom på. Matcher de ord, du finder, fuldkommen det, du søgte? Eller er det mere modsat eller gådefuldt, noget, der kræver, at du kigger dybere i dit sind, dit hjerte eller din ånd? Lyt til den indre kildes stemme. Som Wayne altid plejede at sige: „Vi taler til Gud, når vi beder, og når vores intuition taler, er det Gud, der svarer."

# I. JANUAR

Overgiv dig til din egen storslåethed. Hver gang du ser dig i et spejl, så mind dig selv om, at det, der kigger tilbage på dig, ikke er en evigt foranderlig krop, men noget usynligt, som i sandhed er dit højeste selv. Bekræft: *Jeg er kærlighed, jeg er Gud, jeg er værdig, jeg er uendelig*, i tavshed og højlydt. Gør dette ofte, så det til sidst bliver dit indre mantra. Dette vil hjælpe dig med at give slip på gamle mønstre, du har båret på, som har skadet dit personlige forhold til dette univers og al den naturlige skønhed og fuldkommenhed, det rummer. Du vil vågne op til det utrolige mirakel, du er.

# 2. JANUAR

Vi er alle guddommelige skabninger og burde altid sætte højt, at vi bærer Gud inden i os overalt, hvor vi går. Vi er udgået fra ånden, og ånden er intet andet end ren kærlighed. Kødet – det vil sige vores krop – er ikke den, vi i sandhed er. Den, vi i sandhed er, er et stykke af det, vi er kommet af, og det er guddommelig kærlighed.

# 3. JANUAR

Har du nogensinde hørt udtrykket: „Det her er den første dag i resten af dit liv"? Selv foretrækker jeg at tænke, at dette er den *sidste* dag i mit liv – og at jeg agter at leve den, som om jeg ikke havde flere tilbage. For sandheden er, at vi ikke ved det. Fortiden er ovre for os alle. Ingen af os har fået løfte om fremtiden. Det eneste, vi får, er nuet – dette øjeblik – og hvis du ikke er bevidst om, at der kommer en sidste dag, så har du faktisk ikke levet. Døden er en lige så vigtig del af livet som at leve det.

# 4. JANUAR

Bliv ved med at minde dig selv om: *Jeg får, hvad jeg tænker på, hvad enten jeg ønsker det eller ej.*

# 5. JANUAR

Overflod er det, Guds rige handler om. Kan du forestille dig, at Gud ville tænke: *Jeg kan ikke producere mere ilt i dag; jeg er simpelthen for træt. Dette univers er alligevel også stort nok allerede; jeg tror, jeg bygger den mur i stedet og sætter en stopper for udvidelsen.* Umuligt!

# 6. JANUAR

Tilgivelse er en selvkærlig handling.

# 7. JANUAR

At elske på en hellig måde vil sige at elske det, der er, selv om du ikke forstår den dybere mening bag det.

# 8. JANUAR

At være kreativ betyder at have tillid til dit eget formål og at have en indstilling præget af urokkelig målrettethed i dine daglige tanker og aktiviteter. At blive ved med at være kreativ vil sige at give dine personlige intentioner form. En måde at begynde at give dem form på er helt bogstaveligt at få dem ned på skrift. For eksempel har jeg her på Maui, hvor jeg sidder og skriver, skrevet mine intentioner ned, og her er nogle af dem, som stirrer på mig hver dag, mens jeg skriver:

- *Det er min intention, at alle mine aktiviteter er styret af ånden.*

- *Det er min intention at elske det, jeg skriver, og lade min kærlighed stråle ind i det og i enhver, som måtte læse disse ord.*

- *Det er min intention at gøre alt, hvad jeg kan for at højne den kollektive bevidsthed, så den får et tættere personligt forhold til ånden i intentionens højeste skabende kraft.*

# 9. JANUAR

Frigørelse er fravær af behovet for at holde fast ved nogen eller noget. Det er en måde at tænke og være på, som giver os frihed til at være i flow med livet. Frigørelse er det eneste befordringsmiddel, som kan få dig væk fra *at stræbe efter* og hen til *at ankomme*.

# 10. JANUAR

Det, der adskiller mig fra de fleste psykologer, er, at jeg har en stærk tro på, at alle kan nå de højeste niveauer af deres menneskelighed, hvis de træffer den type valg, de har evnen til at træffe. Vi kan alle fungere på et højt, kreativt niveau uden grænser. Mange psykologer og terapeuter har skrevet, at der er få, som er udvalgte, og at disse få er helt specielle og enestående. Jeg tror ikke, det er sandt. Jeg tror, at tilfredsstillelse og høje funktionsniveauer er for os alle.

# 11. JANUAR

Gør, hvad du ønsker, når blot det ikke går ud over alle andres ret til at gøre det samme – dette er definitionen på moral.

# 12. JANUAR

Jeg har set alle mine otte børn blomstre og nå deres egen opvågnen. De trådte alle tydeligt frem ved fødslen med deres egne enestående personligheder, måske fra en række tidligere liv – de mystiske muligheder er uendelige. Men jeg ved med sikkerhed, at det ene guddommelige sind, som står for hele skabelsen, har en finger med i spillet, når det gælder dette betagende mysterie. Samme forældre, samme miljø, samme kultur og ikke desto mindre otte enestående individer, som alle kom hertil med deres egne tydeligt forskellige karaktertræk. Jeg synes, Khalil Gibran fik det sagt helt rigtigt i *Profeten*: „Jeres børn er ikke jeres børn. De er sønner og døtre af livets længsel mod sig selv. De kommer ved jer, men ikke af jer, og selv om de er hos jer, tilhører de jer ikke."

# 13. JANUAR

Er det nogensinde faldet dig ind, at skønhed er betinget af, at noget betragtes som grimt? Ideen om skønhed fremkalder ideen om grimhed og omvendt. Tænk bare på, hvor mange begreber i dette „dualistiske system af overbevisninger" der er betinget af modsætninger: En person er ikke høj, medmindre der er et system af overbevisninger, der omfatter lille. Vores ide om livet kunne ikke eksistere uden ideen om døden. Dag er det modsatte af nat. Mand er antitesen til kvinde.

Hvad hvis du i stedet opfattede alt som et stykke (eller et glimt) af enhedens fuldkommenhed? Påskeliljen mener næppe, at en tusindfryd er kønnere eller grimmere end den selv er, og ørnen og musen har ingen fornemmelse af de modsætninger, vi kalder liv og død. Træerne, blomsterne og dyrene kender ikke til grimt eller smukt; de *er* simpelthen ... i harmoni med den evige tao, blottet for fordomme.

# 14. JANUAR

Du vil være fanget følelsesmæssigt og fysisk, indtil du lærer at tilgive.

# 15. JANUAR

Dem, der kommer til at være en del af problemet, er dem, som tror, at *problemet* er det, der gør dem ulykkelige; derfor kan de ikke gøre noget ved det: *Problemet er nødt til at gå væk, før jeg holder op med at være ulykkelig.*

De mennesker, som er en del af løsningen, vil derimod sige: *Det her er betingelserne i verden, det her er de ting, der er, og jeg agter at bearbejde dem på en sådan måde, at jeg kan ændre det.* Disse mennesker bliver ikke lammede af deres tanker om tingene.

# 16. JANUAR

Hvordan skulle vi dog nogensinde kunne eje noget som helst? Det bedste, vi kan gøre, er flygtigt at være i besiddelse af vores ting et ganske kort øjeblik ad gangen.

# 17. JANUAR

Som tiårig blev jeg præsenteret for to ideer, der var vejvisere for den rejse, som skulle blive min skæbne. Den første er, at folk vil respondere til alles bedste, hvis man taler til dem på en tillidsfuld og fordomsfri måde. Den anden er, at der er en hemmelig have med mirakler og magi i overflod, og at den er åben for enhver, som vælger at komme der.

# 18. JANUAR

Jeg har ofte fortalt mine børn, at jeg, før jeg inkarnerede i dette liv, havde en samtale med Gud, hvor jeg fortalte ham/hende, at det eneste, jeg ønskede at gøre under hele denne rejse, var at fungere som lærer i at være selvhjulpen. Og Gud svarede med disse ord: „Hvis det virkelig er din intention, må vi hellere få dig på et børnehjem i et årti eller deromkring, hvor du på første hånd kommer til at lære at være selvhjulpen, og derefter vil ingen nogensinde være i stand til at tale dig fra troen på, at noget sådant altid er muligt."

# 19. JANUAR

Læg mærke til de tidspunkter, hvor du kan føle i krop-
pen, præcis hvor du er på skalaen mellem at prøve og
at gøre. At *prøve* at spille klaver, køre bil eller køre på
cykel er det samme som, og forskelligt fra, virkelig at
spille klaver, køre bil og køre på cykel. Når disse akti-
viteter først er ønsket og indlært i den ydre verden,
er det tid til at tillade. Pointen er her at opdage for-
skellen rent kropsligt mellem at prøve og at tillade og
derpå blive bevidst om, hvor ubesværet sidstnævnte
er. Denne praksis vil også føre til større bevidsthed
om det usynlige mysterie og de 10.000 ting, som er
vores verdens synlige fænomener.

# 20. JANUAR

Når du er venlig mod andre, får du venlighed tilbage. En chef, som ikke er venlig, møder meget lidt samarbejde fra sine ansatte. At være uvenlig mod børn skaber et ønske hos dem om at hævne sig i stedet for at hjælpe dig. Venlighed, der er givet, er venlighed, der kommer tilbage. Hvis du ønsker at forbinde dig med intention og blive en, der når alle sine mål i livet, vil du få brug for hjælp fra en masse mennesker. Ved at udvise venlighed alle vegne vil du opdage, at der dukker støtte op på måder, du aldrig kunne have forudset.

# 21. JANUAR

Lad verden folde sig ud uden altid at forsøge at regne det hele ud. Lad for eksempel bare relationer være, eftersom alting kommer til udbrede sig i guddommelig orden. Forsøg ikke for alt i verden at få noget til at fungere – *tillad* det simpelthen bare. Arbejd ikke altid så hårdt på at forstå din partner, dine børn, dine forældre, din chef eller nogen anden, for tao arbejder hele tiden. Når forventninger brister, så øv dig i at give det lov til at være, som det er. Slap af, giv slip, tillad, og forstå, at nogle af dine ønsker knytter sig til, hvordan du tænker, din verden burde være, snarere end hvordan den er i øjeblikket. Bliv en trænet iagttager ... døm mindre, og lyt mere. Giv dig tid til at åbne dit sind for det fascinerende mysterie og den uvished, vi alle oplever.

# 22. JANUAR

Når du presser en appelsin, får du appelsinsaft, for-
di det er det, der er inden i appelsinen. Nøjagtig det
samme gælder for dig. Når nogen presser dig, er den
reaktion, du har på det, det, der findes inden i dig. Og
hvis du ikke kan lide det, der er inden i dig, kan du
ændre det ved at ændre dine tanker.

# 23. JANUAR

Der er ikke noget at bekymre sig om – *nogensinde*! Enten har du kontrol, eller også har du ikke. Hvis du har, så tag kontrol, hvis du ikke har, så giv slip. Spild ikke din energi på bekymringer.

# 24. JANUAR

Din krop er ikke andet end en garage, hvor du midlertidigt har parkeret din sjæl.

## 25. JANUAR

Fortæl mig, hvad du *går ind for*, og så skal jeg vise dig, hvad der kommer til at vokse i en positiv retning. Fortæl mig, hvad du er *imod*, og så skal jeg vise dig, hvad der kommer til at vokse i en negativ retning.

# 26. JANUAR

Den største tjeneste, man kan gøre børn, der udviser personlighedstræk eller tilbøjeligheder, som måske ikke bliver forstået af de voksne, der er omkring dem, er at give dem lov til at udtrykke deres egen unikke menneskelighed. Jeg var velsignet med at leve en stor del af mit livs første årti i et miljø, hvor forældres og andre voksnes indblanding blev holdt på et minimum. Jeg ved, at jeg kom til verden med det, jeg kalder „en stor dharma" – med en plan om at undervise i at være selvhjulpen og med en positiv tilgang til et stort antal mennesker over hele kloden. Jeg er så umådelig taknemmelig for de omstændigheder i mit liv, som tillod mig at være ret meget overladt til mig selv og udvikle mig, som det var meningen i denne inkarnation.

# 27. JANUAR

Hver eneste af os er en del af et perfekt univers. Og vi er i lige så høj grad en del af universet som alle andre eller alt andet, der findes i det. I et perfekt univers, der fungerer i harmoni og samarbejde og kærlighed, er der ingen fejltagelser. Så *du* er ingen fejltagelse. Du er en del af dets perfektion. Hvis du tror dette om dig selv, vil du, første gang du begynder at se andre mennesker optræde voldeligt over for denne perfektion, reagere på samme måde, som du naturligt ville reagere på nogen, der mishandler noget smukt: Du ville ikke tillade det.

# 28. JANUAR

Essensen af storhed er evnen til at vælge personlig tilfredsstillelse under omstændigheder, hvor andre vælger vanvid.

# 29. JANUAR

De fleste mennesker, som er ensomme, er ensomme, fordi de ikke bryder sig om det menneske, de er alene med. Hvis du kan lide det menneske, du er alene med, vil det aldrig være et problem at være alene. Så vil det faktisk bare være fantastisk. Men hvis det menneske, jeg er alene med, i mine øjne virkelig er foragteligt og uacceptabelt, leder jeg efter nogen eller noget til at fylde tomrummet ud med.

# 30. JANUAR

Det eneste, du får, er i dag og måske næste uge. Men i dag, det er helt sikkert.

# 31. JANUAR

Det, jeg kalder „at leve uden grænser" eller „virtuosi-tet", er at kravle til tops på stigen – det er her, du bliver på samme måde som en billedhugger eller maler eller en hvilken som helst skabende person i forhold til deres frembringelser. Ved at skravere, forme og gøre det til det, du ønsker, det skal være.

# 1. FEBRUAR

Nogle mennesker er nemme at elske. Den sande prøve er at elske en, som er svær at elske. Send alle dine fjender kærlighed.

# 2. FEBRUAR

Hvis du kun tror på det, du kan se, er du begrænset til det, som findes på overfladen. Hvis du kun tror på det, du kan se, hvorfor betaler du så din elregning?

# 3. FEBRUAR

Du bliver behandlet i livet, som du lærer folk at behandle dig. Hvis du lader dig koste rundt med, hvis du giver andre lov til at gøre dig til offer, lærer du folk, hvordan de skal behandle dig.

# 4. FEBRUAR

Hvis verden var sådan indrettet, at alt var nødt til at være fair, var der ingen levende skabning, der ville overleve så meget som en dag. Fuglene ville have forbud mod at spise orme, og der skulle tages hensyn til alles egennytte.

# 5. FEBRUAR

Hvis du har en container fuld af gødning, er der hverken plads til kærlighed eller noget andet i containeren. Vi har alle gødning i vores liv, men det vigtige er at vide, hvad man skal gøre med gødningen. Hvis du kommer gødningen i jorden og bruger den til at gøde med, kan du dyrke smukke blomster med den.

# 6. FEBRUAR

Det er enkelt at regne ud, hvor mange kerner der er i et æble. Men hvem af os kan nogensinde vide, hvor mange æbler der er i en kerne?

# 7. FEBRUAR

Hvis du ikke kan sige nej i et forhold, vil du til sidst blive nødt til at sige nej til selve forholdet. *Nej* er et stort ord at være i stand til at sige. Ved at sige nej lader du andre mennesker, også dem, der elsker dig mest – dine forældre, dine børn, din mand eller kone, dine søsterselskaber, dine forretningsforbindelser, dine venner – vide, at du er nødt til at være dig selv. Når de ønsker, du skal være noget, du ikke kan være, fordi det strider mod det sted, du er på din egen vej mod oplysning, mod tilfredsstillelse, er du nødt til at sige nej til det. I sidste ende vil det styrke forholdet. Du kan sige nej med kærlighed og værdighed og respekt – og med engagement. Og hvis du gør det, vil du aldrig blive nødt til at sige nej til forholdet, for det vil blomstre og udvikle sig.

# 8. FEBRUAR

Mange mennesker har været tæt på døden; nogen, der står dem nær, har været det; eller måske har de været ude for en ulykke, hvor de selv har ligget lige der i hospitalssengen og spekuleret på, om de ville komme til at overleve. Og mennesker, der har været ude for den slags oplevelser, siger næsten altid: „Det har lært mig det mest værdifulde i mit liv: at jeg er nødt til at sætte pris på hver dag, jeg lever, og gøre den fuldendt, hel, tilfredsstillende, kreativ og spændende."

Jeg er overbevist om, at det ikke burde kræve nærkontakt med døden at gøre noget så naturligt, så enkelt, så grundlæggende som at leve dit liv på den måde, du selv ønsker, på dine betingelser, uden at være nødt til at stå til ansvar for nogen anden.

# 9. FEBRUAR

Når et individ begynder at komme i harmoni med sin oprindelige intention og leve målrettet, er det en invitation til den pågældendes egen højere vejledning. Jeg har erfaret, at den eneste måde at opnå hjælp fra de opstegne mestre på er at blive ligesom dem, så de kan genkende sig selv. Det nytter ikke noget at bede om vejledning og hjælp, hvis vi lever et egocentreret liv.

# 10. FEBRUAR

Jeg har et jakkesæt i mit skab, hvor lommen er skåret ud. Det er en påmindelse til mig selv om, at jeg ikke kommer til at tage noget med mig. Det sidste jakkesæt, jeg skal have på, behøver ingen lommer.

# 11. FEBRUAR

Der er så mange mennesker, som forventer et mirakel i stedet for at *være* et mirakel.

# 12. FEBRUAR

Alt, hvad du er imod, kan omformuleres på en sådan måde, at det får dig til at støtte noget i stedet. I stedet for at være imod krig, vær *for* fred. I stedet for at være imod fattigdom, vær *for* velstand. I stedet for at gå ind i en krig *imod* stoffer, vær *for* renhed i din ungdom.

# 13. FEBRUAR

Al depression er inerti. Det er det, den vokser ud af. Når folk kommer til mig og siger: „Jeg er så deprimeret; jeg ved bare ikke, hvad jeg skal gøre," plejer jeg at sige til dem: „Hvad som helst. *Hvad som helst.* Kan du se den cykel der: Lad os køre en tur. Kan du se den bold derovre: Lad os lege med den. Kan du se det hospital derovre: Lad os gå gennem gangene og tale med de mennesker, der er syge. Lad os gøre *hvad som helst* ..."

For det er næsten umuligt at være deprimeret og aktiv på samme tid. Aktive mennesker har ikke tid til at blive deprimerede. De har for travlt.

# 14. FEBRUAR

Hvis jeg skal være et kærlighedsvæsen, der lever ud fra mit højeste selv, betyder det, at kærlighed er det eneste, jeg har inden i mig, og det eneste, jeg har at give væk. Hvis en, jeg elsker, vælger at være noget andet, end mit ego ville foretrække, er jeg nødt til at sende dem bestanddelene i mit højeste selv, som er Gud, og Gud er kærlighed.

# 15. FEBRUAR

Skyld er en pæn lille anordning, som du kan bruge, når du ikke ønsker at tage ansvar for noget i dit liv. Brug den, og du undgår alle risici og står i vejen for din egen vækst.

# 16. FEBRUAR

Dine forventninger bestemmer så meget i dit liv. De bestemmer for eksempel, hvor fysisk sund du er – om du bliver forkølet, får ondt i ryggen, hovedpine, kramper og den slags. Du har gjort dig selv modtagelig over for at blive syg i stedet for at sige: *Det her er en fejltagelse. Jeg er ikke interesseret i dette. Jeg ønsker det ikke. Jeg vil tage lidt ekstra C-vitamin, få lidt ekstra hvile, men jeg agter ikke at beklage mig til nogen anden om det. Jeg vil se, om jeg kan komme igennem det her uden at lade mig påvirke af det. Jeg agter også at holde mig aktiv. Jeg vil ikke lade det komme i vejen for noget, jeg er i gang med. Jeg vil ikke fokusere på det, og jeg vil ikke koncentrere mig om det.*

# 17. FEBRUAR

Der er tre ting, som blokerer din sjæl: *Negativitet, for-domme* og *ubalance*.

☾

# 18. FEBRUAR

Du kan ikke give det væk, du ikke har. Hvis du ikke har kærlighed til dig selv, kan du ikke være kærlig over for andre – selvkærlighed er det, det hele handler om.

# 19. FEBRUAR

Lad os sige, at du ønsker at holde op med at ryge – du ønsker at fjerne afhængig adfærd i dit liv, uanset hvad det måtte være. Den eneste rigtige måde at angribe et problem som at holde op med at ryge på er at spørge dig selv: „I dag, blot for i dag, vil jeg så kunne klare mig i 24 timer – en dag – eller selv en halv dag, eller selv nogle få timer, uden en cigaret?"

Ja, og så svarer jeg: „Selvfølgelig. Enhver kan klare sig en dag. Det er ikke noget særligt."

Når de 24 timer er gået, er du et nyt menneske. Lad det menneske bestemme, om han eller hun ønsker at klare endnu en dag. For du er et nyt menneske hver dag. Du skal blot klare dit liv en dag ad gangen.

# 20. FEBRUAR

Læg på et eller andet tidspunkt i løbet af i dag mærke til et eksempel på ærgrelse eller irritation over for et andet menneske eller en situation. Tillad det paradoks, at du ønsker, at irritationsmomentet forsvinder, og samtidig giver det lov til at være, hvad det er. Kig indad for at finde det i dine tanker, og giv dig selv lov til at føle det, hvor det end er, og uanset hvordan det bevæger sig i din krop.

Læg mærke til, hvordan følelsen viser sig: Måske kører den rundt i maven, gør dig stiv i skelettet, får hjertet til at hamre eller halsen til at snøre sig sammen. Uanset hvor det er, så lad det være en gådefuld budbringer inden i dig, og ret din opmærksomhed mod den uden at dømme. Læg mærke til ønsket om, at følelsen skal forsvinde, og tillad, at den bliver overvåget på en medfølende måde af dig. Accepter alt, hvad der kommer. Mød det indre mysterie uden at rubricere det, forklare det eller forsvare det. Til at begynde med er det en subtil forskel, du personligt må tage ansvar for at identificere. Du alene kan forberede dit væsens grund på oplevelsen af at leve mysteriet.

## 21. FEBRUAR

Jeg tror ikke på, at Gud går op i, om vi viser vores kærlighed ved at bygge storslåede bygninger til gudsdyrkelse, ved at gå til gudstjeneste eller ved at overholde regler fastlagt af religiøse organisationer. Det forekommer mig, at hvis Gud skulle sige noget til os, ville budskabet simpelthen være, at vi skulle elske hinanden og udvise ærefrygt snarere end fjendskab.

# 22. FEBRUAR

Elevatoren til succes er i stykker i dag. Du bliver nødt til at tage trappen, et trin ad gangen.

# 23. FEBRUAR

At skrive om ikkeværen som det sted, vi er opstået *fra*, kræver af mig, at jeg bruger min fantasi til at overveje, hvad en spirituel verden af ikkeværen er. Den måde, jeg gør dette på, er at forestille mig en guddommelig bevidsthed, som giver sig af med at manifestere form ud af intet. At forestille sig noget skabt uden en skaber minder en hel del om at forsøge at forestille sig et ur uden en urmager.

# 24. FEBRUAR

Du kan ikke forvente at trække venlige, selvsikre og generøse mennesker ind i dit liv, hvis du tænker og handler på grusomme, svage og selviske måder. Du er nødt til at udsende det, du ønsker at tiltrække.

# 25. FEBRUAR

Alt i universet strømmer. Du kan ikke få greb om det
rindende vand ved at gribe hårdt fat i det. Men du kan
lade din hånd slappe af, og så kan du opleve det.

# 26. FEBRUAR

Der er én stor løgn: at vi er begrænsede. De eneste begrænsninger, vi har, er de begrænsninger, vi *tror på*.

# 27. FEBRUAR

Jeg har opdaget, at der forud for hvert eneste af de spirituelle fremskridt, jeg har gjort, har været en slags fald – rent faktisk er det næsten en universel lov, at der forud for en større forandring går et fald af den ene eller den anden slags. Et fald kan være en pinlig begivenhed, som afslører den overdrevne rolle, egoet har haft lov til at spille i ens liv, hvilket helt sikkert skete, da jeg blev foranlediget til at sætte en stopper for mit usunde forhold til alkohol. Andre former for fald kan involvere en ulykke, en brand, der ødelægger alt, hvad vi har knoklet så hårdt for at samle sammen, en sygdom, et forhold, der går i stykker, et dødsfald eller en skade, som er årsag til dyb sorg, et svigt, et alvorligt misbrug, en forretningsmæssig fiasko, en konkurs eller lignende. Disse lavpunkter forsyner os i virkeligheden med den energi, der skal til for at foretage en retningsændring fra et egostyret liv til et fuldkommen målrettet liv.

# 28. FEBRUAR

Forstår du, alt i universet kommer i form af et para-
doks, fordi vi er et paradoks, fordi kloden er et para-
doks. Tænk over det. Det paradoks, du er, er, at du er
form og ikkeform på samme tid. Du er din krop, og
alligevel er du ikke din krop. Du er dine tanker, som
du ikke kan få greb om, og samtidig er du din krop,
som har fat i dig. Og på den måde har du altid disse to
modstridende elementer. Alt i livet, der betyder no-
get, viser sig som et paradoks.

Hvordan kan en ting være to modsætninger og sta-
dig kun være én ting? Hvordan kan et menneske være
en, som ønsker kærlighed og ønsker at opnå den, *jag-
ter* den og samtidig aldrig opnår den? Det menneske,
som ikke er besat af tanken om at finde kærligheden,
men blot *er* kærlighed, får kærlighed ind i sit liv.

# I. MARTS

Overgiv dig til en ny bevidsthed, en tanke, der hvisker: *Jeg kan godt det her i dette øjeblik. Jeg vil få al den hjælp, jeg har brug for, så længe jeg bliver ved denne intention og søger indad efter hjælp.*

# 2. MARTS

Jeg vil påstå, at jo større formål vi meldte os til i livet, jo større og hårdere bliver de fald, vi kommer ud for. Du må forstå, at jeg kom her for at udrette store ting, og derfor er jeg slet ikke overrasket, når udfordringerne og faldene melder sig i store doser. Rent faktisk føler jeg nu, at enhver stor udfordring er en mulighed for at udvikle mig til et højere spirituelt niveau, hvor taknemmelighed gradvist erstatter anger.

# 3. MARTS

Din umådelige intelligens kan ikke måles i en IQ-test, ligesom den heller ikke lader sig analysere i en udskrift af karakterbeviset. Dine ideer eller overbevisninger om, hvad du gerne vil være, udrette eller tiltrække, er bevis på din genialitet. Hvis du er i stand til at undfange ideen, er denne visuelle undfangelse kombineret med dit lidenskabelige ønske om at manifestere din ide i virkeligheden det eneste, du har brug for til at aktivere din genialitet.

# 4. MARTS

At hænge dig i dit fysiske udseende er at sikre dig livslang lidelse, mens du ser din skikkelse gennemgå den naturlige udvikling, som tog sin begyndelse i det øjeblik, du blev undfanget.

# 5. MARTS

Øv dig i at være et levende, åndende paradoks hvert øjeblik af dit liv. Kroppen har sine fysiske grænser – den begynder og ender og består af fysisk stof. Men den rummer også noget, som trodser grænser, ikke har nogen substans og er uendeligt og uden form. Lad de kontrasterende og modsatte ideer være inden i dig på samme tid. Giv dig selv lov til at rumme disse modsatte tanker, uden at de ophæver hinanden. Tro stærkt på din frie vilje og evne til at påvirke dine omgivelser, og overgiv dig samtidig til energien inden i dig. Vid, at godt og ondt er to aspekter af en forening. Accepter med andre ord den materielle verdens dualitet, mens du stadigvæk hele tiden er i kontakt med den evige taos enhed.

# 6. MARTS

Valget er dit. Det kan enten være: „Godmorgen, Gud!"
eller: „Du milde Gud, det er morgen."

# 7. MARTS

Jo mere du knytter din værdi og menneskelighed an til de ting, der er uden for dig selv, jo mere giver du de ting magt til at kontrollere dig.

# 8. MARTS

Hver af egoets komponenter stiller nogle helt andre krav end dem, kilden til vores væren gør. Ånden kalder os hjem til en perfekt harmoni med vores skaber, egoet bevæger sig med høj fart i den modsatte retning. Vi er nødt til at lære ånden bedre at kende, hvis vi ønsker at lave en U-vending, mens vi stadig lever ... og opleve livets efterår fuldt og helt.

# 9. MARTS

Rubriceringsprocessen er det, de fleste af os har lært i skolen. Vi arbejdede flittigt på at lære at definere tingene korrekt, så vi kunne få det, der blev kaldt „høje karakterer". De fleste uddannelsesinstitutioner insisterede på at kategorisere alt, og det førte til en etiket, der udmærkede os som dimittender med viden om bestemte kategorier. Og dog ved vi alligevel godt, uden at nogen behøver at fortælle os det, at der ikke er nogen titel, grad eller særlig etiket, som i virkeligheden definerer os. På samme måde som vand ikke er ordet vand – lige så lidt som det er *agua, Wasser* eller $H_2O$ – er intet i dette univers sit navn. På trods af vores endeløse kategoriseringer kan intet dyr, ingen blomst, intet mineral og intet menneske nogensinde virkelig beskrives. På samme måde fortæller tao os, at „det navn, som kan nævnes, ikke er det evige navn". Vi må sole os i pragten af det, som kan ses og sanses, i stedet for altid at lære udenad og kategorisere.

# 10. MARTS

Døden er et begreb, som henviser til afslutninger. Afslutninger kræver grænser, og dit dimensionsløse selv har ingen grænser.

# 11. MARTS

Ønsker, som udspringer af egoet, kan komme i vejen for guddommelig essens, så øv dig i at få egoet bragt af vejen, og lad dig lede af tao i alt, hvad du gør. Er du ude af dig selv? Hav tillid til tao. Lyt til det, der tilskynder dig til at gå fremad, fri for egoets dominans, så vil du paradoksalt nok blive mere produktiv. Giv det, der er i dit indre, lov til at komme frem ved at stille den verdslige målbevidsthed i bero. På denne måde vil det ikke længere bare være dig, som står for orkestreringen af det, du kalder dit liv.

# 12. MARTS

De mennesker, der har såret os, har kun gjort det, fordi det var det, de havde evnerne til at gøre i betragtning af omstændighederne i deres liv. Hvis du ikke vil tilgive, så giver du disse gamle skader lov til fortsat at have greb om dig.

# 13. MARTS

Hvis du stadigvæk er på en karrierevej, du besluttede dig for som ung, så stil dig selv dette spørgsmål i dag: *Ville jeg spørge en teenager til råds om mit kald i livet?*

# 14. MARTS

Vær et godt dyr, og bevæg dig frit uden at være hæmmet af tanker om, hvor du *burde* være, og hvordan du *burde* opføre dig. Forestil dig eksempelvis dig selv som en odder, der bare lever dit odderliv. Du er ikke god eller dårlig, smuk eller grim, hårdtarbejdende eller doven ... du er simpelthen en odder, der frit, fredeligt, legende og uden fordomme bevæger dig gennem vandet eller på landjorden. Når tiden er inde til at forlade din krop, gør du det, mens du kræver din plads tilbage i enhedens rene mysterie.

# 15. MARTS

Hav det i tankerne, som ville udgøre et mirakel for dig. Få visionen. Ophæv tvivl og skepsis.

# 16. MARTS

Bevidst opmærksomhed fjerner dig fra din vante tænkning. Efter at jeg har omorganiseret mine tanker for at påvirke min krop og endda mit dna, har min virkelighed ændret sig betydeligt. Når jeg i dag mærker en trykken for brystet eller får ondt i halsen, har smerter i mine led eller tilmed hovedpine, begynder jeg først fordomsfrit at lægge mærke til det. Jeg er opmærksom simpelthen ved blot at iagttage ukritisk og ved at give mig selv lov til at fokusere på en nysgerrig, blid måde. Når jeg vender mig mod mit højere selv, begynder al egoets frygt at blegne i dets lys. Når jeg bliver bevidst – uden at forfalde til egoets tanker om smerte, forstyrrelse og irritation eller skabe andre mentale barrierer – bevæger symptomerne sig videre gennem mit system, som er i en tilstand af højere bevidsthed.

# 17. MARTS

Ligesom hver blomst har sin egen enestående farve –
selv om den har sin oprindelse i bare ét lys – kommer
hvert individ, skønt sin enestående fremtoning, også
fra én essens.

# 18. MARTS

Hvis du opdager, at dit verdslige ego fortolker eller dømmer, så iagttag det blot uden at kritisere det eller ændre det. Du vil begynde at finde flere og flere situationer, hvor det føles fredeligt og glædeligt *at være* uden respons ... bare at være i den uendelighed, som er skjult, men altid til stede.

Måske du får lyst til at nedskrive dette råd fra min lærer Nisargadatta Maharaj og sætte det et synligt sted, så du kan læse det hver dag: *Visdom er at vide, at jeg er intet, kærlighed er at vide, at jeg er alt, og imellem de to bevæger mit liv sig.*

Og mens du lever, hold dig da så tæt på kærligheden, som du kan.

# 19. MARTS

Vi taler til Gud privat og kalder det bøn. Hvorfor synes det da så usandsynligt, at vi bliver ringet op den anden vej, specielt hvis vi tror på, at der findes en universel intelligens derude, som vi henvender os til?

# 20. MARTS

Formål handler om at give dig hen betingelsesløst og kærligt acceptere det, der kommer tilbage, også selv om det, der kommer tilbage, ikke var det, du havde regnet med.

## 21. MARTS

Ingen kan gøre dig deprimeret. Ingen kan gøre dig bekymret. Ingen kan såre dine følelser. Ingen kan gøre dig til noget som helst andet end det, du tillader indeni.

# 22. MARTS

Intethed svarer til udtrykket for nul, matematisk set. Det kan ikke deles; det har ingen empirisk værdi, og hvis vi ganger noget med det, får vi en sum af ingenting. Men uden det udelelige nul ville selve matematikken være en umulighed. Før vi kom ind i denne materielle verden, var vores essens ingenting. Vi havde intet, der bebyrdede os – ingen regler, ingen pligter, ingen penge, ingen forældre, ingen sult, ingen frygt ... overhovedet ingenting.

# 23. MARTS

Nogle få minutter tilbragt i total ærefrygt vil bidrage mere til din spirituelle opvågnen end noget kursus i metafysik.

# 24. MARTS

Livet igennem er de to mest formålsløse følelser skyldfølelse over det, der *er* blevet gjort, og bekymring over det, som *kunne* have været gjort.

# 25. MARTS

I et eneste magisk, mystisk nanosekund gennemførte vi overgangen fra ikkeværen til væren. En subatomar partikel af menneskeligt protoplasma udgik fra ånden, og alt, hvad der var brug for til den rejse, vi kalder livet, blev der sørget for. En usynlig kraft, som jeg kalder fremtidstrækkraften, blev sat i gang og udfyldte vores fysiske kendetegn. Vores endelige højde; kroppens form; øjen-, hud- og hårfarve; rynker, som en dag ville komme til syne, og selvfølgelig det med, at vores krop holder op med at være i live, blev alt sammen arrangeret, uden at vi var nødt til at gøre noget som helst for det.

# 26. MARTS

At jagte succes er som at forsøge at knuge en håndfuld vand. Jo mere du knuger, jo mindre vand får du. Når du jagter succes, bliver dit liv til jagten, og du bliver et offer, som altid ønsker mere.

# 27. MARTS

Du kan sidde til evig tid og jamre over, hvor ondskabs-
fuld du har været, føle dig skyldig, til du dør, og ikke
den mindste lille smule af den skyldfølelse vil kunne
ændre noget i fortiden.

# 28. MARTS

Hvis du har forpligtet dig på at se dit fysiske selv med undren og ærefrygt, og hvis du kan vide dybt i dit indre, at dit usynlige selv ønsker, at den krop, det bebor, skal være så sund og rask som muligt, så er du parat.

# 29. MARTS

Det, der fornærmer dig, svækker dig bare. At være fornærmet skaber den samme destruktive energi som den, der fornærmede dig i første omgang – så overvind dit ego, og forbliv i fred.

# 30. MARTS

Giv dig selv lov til at nyde stilhed og meditation. Selv om du ikke har en struktureret meditationspraksis, så giv dig selv tid til simpelthen at nyde stilheden. Sluk for det, der skaber støj i dit hjem og i din bil. Find tid til at være i naturen væk fra menneskeskabte lyde. Lær at behandle dine indre rejser som et helligt rum, hvor du tilbringer øjeblikke med gentagne gange at give slip ved at slappe af fysisk og mentalt. Giv slip på bekymringer, planlægning, tænkning, erindringer, undren, håb, ønsker eller det at skulle huske. Giv bevidst slip på hver fysisk sansning, du lægger mærke til. Gør dette øjeblik for øjeblik. Gå ind i en tilstand, hvor du kan lade dine ejendele, din familie, dit hjem, dit arbejde og din krop ophøre med at eksistere. Oplev den indre lyksalighed ved intethed.

Når du kommer ud af din stilhed, starter du adskillelsesprocessen ved helt bogstaveligt at give noget væk, som du ikke bruger. Gør det mindst en gang hver dag. I intethed vil du finde større nærhed til din kilde til væren.

# 31. MARTS

At tro på, at der er mangel på velstand, er et signal om at tænke ud fra den uudtømmelige kilde: tao. Ligesom alt andet på vores klode findes penge i ubegrænset mængde. Vid dette, og forbind dig med de bundløse forsyninger. Gør det først i tankerne ved at bekræfte: *Alt, hvad jeg har brug for nu, er her.* Velstandstanker er energimæssige instruktioner om at skaffe dig adgang til dit uendelige selv, så de bliver efterfulgt af handlinger.

# 1. APRIL

Jeg modtog engang to breve om den samme bog: I det ene stod der, at det var den bedste bog, vedkommende nogensinde havde læst – den havde fuldkommen forandret hans liv – og han gav mig hele æren for sin transformation. I det andet stod der: „Bogen her er så dårlig, at jeg insisterer på, at du refunderer beløbet, jeg købte den for."

Jeg gjorde følgende med disse breve: Jeg sendte det venlige brev til den fyr, som skrev det vrede brev til mig, og jeg sendte det vrede brev til den fyr, som havde skrevet det venlige brev. Og til hver af dem skrev jeg det guldkorn, som H.L. Mencken altid plejede at sende til skråsikre brevskrivere: „Du kan have ret."

Ikke: „Jeg har ret, og du har uret." Bare: „Du kan have ret." Disse to modstridende breve viser, hvor nytteløst det er at være opslugt af, hvad andre mennesker tænker. Hvad andre mennesker tænker, er blot, at de „kan have ret".

# 2. APRIL

Hvis du gerne vil være et menneske, der er i stand til at få alle sine ønsker opfyldt, vil det være nødvendigt for dig at bevæge dig op på et højere eksistensplan, hvor du er medskaber af dit liv. Det betyder, at du bliver nødt til at udføre noget, som ofte anses for at være en vanskelig opgave: at lave om på din selvopfattelse. Din selvopfattelse er alt det, du tror er sandt om dit indre og ydre selv. Disse overbevisninger har skabt det liv, du lever i dag – på det, jeg kalder et almindeligt bevidsthedsniveau. Hvis du skal ind i et „særligt bevidsthedsrum", kræver det, at du ændrer det, du tror er sandt.

# 3. APRIL

Jeg vil anbefale, at du er venlig mod dig selv og elsker dig selv betingelsesløst uden hensyn til, hvad der kommer til dig.

# 4. APRIL

Hver eneste tanke, der begrænser dig, og som du bruger til at forklare, hvorfor du ikke lever dit liv fuldt og helt – så du oplever, at du er målrettet, tilfreds og fuldkommen levende – er noget, du kan udfordre og vende om uden hensyn til, hvor længe du har haft den overbevisning, og uanset hvor rodfæstet den måtte være i tradition, videnskab eller livserfaringer. Selv om det kan virke som en uoverstigelig hindring, kan du overvinde disse tanker ved først at se på, hvordan de har holdt dig tilbage. Dernæst kan du gå i gang med en afprogrammeringsindsats, der gør det muligt for dig at leve et liv fri af undskyldninger en dag ad gangen, et mirakel ad gangen, en ny overbevisning ad gangen!

## 5. APRIL

Ved at give slip giver du plads til Gud og – endnu vig-
tigere – du bliver mere som Gud og mindre som egoet
med dets livslange praksis i at fortrænge Gud.

# 6. APRIL

Det kan måske lyde selvmodsigende at planlægge at blive overrasket, men alle fortæller, at kvanteøjeblikke er uventede, uindbudte og uforudsete. Det sker, når synkronicitet og held arbejder sammen om at forbløffe os. Det er, som om vi overgiver os og lader os leve af livet. Vi bliver den parate elev, og læreren viser sig faktisk. Men forud for dette er som regel et fald.

# 7. APRIL

At overvurdere ejendele og præstationer stammer fra egoets fiksering på at opnå *mere* – velstand, ejendele, status, magt eller lignende. Tao anbefaler, at man holder sig fra et liv som dette med manglende tilfredshed, der fører til tyveri, krigeriskhed og forvirring. I stedet for at søge mere er den taoistiske taknemmelighedspraksis det, der fører os til det tilfredse liv. Vi må erstatte personlige ønsker med det taocentrerede spørgsmål: *Hvordan kan jeg tjene?* Ved simpelthen at ændre den slags tanker vil vi begynde at se, at overordnede forandringer finder sted i vores liv.

# 8. APRIL

Meditation giver dig en mulighed for at lære dit usynlige selv at kende.

# 9. APRIL

Frem for at give dig selv en etiket som kristen, jøde, muslim, buddhist, eller hvad du nu kategoriserer dig selv som, kan du i stedet love dig selv at være som Kristus, som Gud, som Muhammed og som Buddha.

# IO. APRIL

Lav en fortegnelse over dine ønsker, og overgiv dem derpå til det ukendte. Ja, overgiv dem, og gør intet andet end at have tillid. Samtidig lytter du efter og holder øje med vejledning og forbinder derpå dig selv med den perfekte energi, som sender alt, hvad der er nødvendigt, ind i dit liv. Du (hvilket vil sige dit ego) skal ikke gøre noget. Lad i stedet taos evige fuldkommenhed arbejde igennem dig.

☾

# I I. APRIL

Vi bliver det, vi tænker på dagen igennem – dette er en af de største hemmeligheder, som så mange er uvidende om, mens de udlever deres livsopgave. Det, vi tænker på, er det, der beskæftiger sindet. Hvis dette indre usynlige, der kaldes vores sind, er lukket for nye ideer og uendelige muligheder, svarer det til at tage livet af det allervigtigste aspekt af selve vores menneskelighed. Et sind, der er åbent og ikke hænger fast i en bestemt måde at være eller leve på, er som en tom beholder, der lader nye og uendelige muligheder komme indenfor og blive udforsket.

# 12. APRIL

Dine overbevisninger har en enorm evne til at sørge
for, at du bliver ved med at sidde fast. Disse dybt ind-
groede ideer fungerer som lænker, der forhindrer dig
i at opleve din enestående skæbne. Du har evnen til
at løsne disse lænker og få dem til at arbejde for dig i
stedet for imod dig og det i en grad, så du kan ændre
det, du troede var videnskabelige forklaringer på dine
menneskelige begrænsninger og kendetegn. Jeg tæn-
ker på ting som din genetiske beskaffenhed, dit dna
eller de tidlige betingninger, du blev udsat for som
foster, spæd og barn. Ja, du læste rigtigt. *Dine overbe-
visninger, alle disse formløse energimønstre, som du har
taget til dig som dit selvbillede, har evnen til at ændre
sig dramatisk og give dig magt til at overvinde uønskede
træk eller det, du ulykkeligvis går ud fra er din skæbne.*

# 13. APRIL

Buckminster Fuller sagde, at 99 procent af, hvem vi er som mennesker, kan vi ikke røre ved, kan vi ikke se, kan vi ikke føle, og kan vi ikke lugte. Vi kan ikke få fat på det. Det er den del af os, som er i „ikkeform", som vi kun kan definere som tanker eller mentale billeder eller visualiseringer eller følelser eller ord, som er umulige at bringe på en formel, fordi de ikke har nogen form.

I denne del af vores bevidsthed, i disse 99 procent, er reglerne anderledes. Men vi er besatte af tanken om den ene procent. Den ene procent, der er form. Vi tilbringer størstedelen af vores energi i den ene procent, mens vi kigger på hinandens forskellige indpakninger.

# 14. APRIL

En konflikt kan ikke overleve uden din deltagelse.

# I5. APRIL

Når bekymring bliver anerkendt som et tegn på forandring, vil den være forbigående – den er simpelthen en del af forandringernes verden. Hvis du ser dit liv ud fra den uendelige iagttagers synsvinkel, smelter bekymringer, uro og kampe sammen i en evig blanding. Ud fra dette tidløse perspektiv kan du se for dig, hvor vigtige de ting, du nu føler dig tynget af, vil være om hundrede, om tusinde, om en million eller om et ukendt antal år. Husk, at du, ligesom den uendelige tao, du har din oprindelse i, er en del af en evig virkelighed.

## 16. APRIL

Én sang! Det er vores *uni* (ene) *vers* (sang). Uanset hvor adskilte vi er i forskellige toner, er vi alle alligevel involveret i den ene sang.

# 17. APRIL

Når du kalder dig selv en idiot, er det din usynlige kritiker, der dømmer dit ydre selv. Husk, at det, du tænker på, ekspanderer.

# 18. APRIL

Lev i ånden. Du er kommet af ånden, og for at blive inspireret er du nødt til at blive mere som det, du er kommet af. Du er nødt til at leve, så du bliver mere som Gud.

# 19. APRIL

Gud vil arbejde *med* dig, ikke *for* dig.

# 20. APRIL

Forestillingen om, at vi ikke kan ændre vores biologi, udfordres så småt af videnskabsfolk og lærde, der forsker i cellebiologi. Det ser ud til, at mennesker *rent faktisk* har evnen til at ændre og ligefrem vende nogle af deres genetiske koder. Åbenhed og nysgerrighed er sammen med et ønske om at blive fri af undskyldninger de grundlæggende forudsætninger for at lære noget om de spændende beviser inden for genetisk disponering.

# 21. APRIL

Tilgivelse er evnen til at give kærlighed under de allervanskeligste omstændigheder.

# 22. APRIL

Jo mere du forsøger at tvinge noget igennem til din egen fordel, jo mindre vil du kunne glæde dig over det, du så desperat stræber efter.

# 23. APRIL

Her på det sidste har jeg kigget meget på min hånd. Kig på din hånd. Hvis jeg troede, at *det* var mig, ville jeg blive pænt forskrækket. Der er alle disse årer og alle disse negle, og du lægger det hele frem. Alt, hvad der udgør form. Og du får det hele lige der, og du siger: „*Det* er et menneske."

Det er ikke et menneske! Hvordan skulle det være muligt? Er det virkelig alt, hvad du er, bare brusk og knogler? Alt det stof, al den form? Hvor er dit sind? Det er ikke der. Hvordan kan du forklare det?

Hvad er det, der udgør dig som menneske? For alt dette kunne du finde hos en gris eller en hest. Alt det – hver eneste lille del af det – vil du finde hos en hest. Der er noget andet, som udgør din menneskelighed. Dette andet er *alt, hvad du er.*

## 24. APRIL

Hvorfor ikke tænke på nogle ting, du aldrig har gjort før, og gøre dem, simpelthen fordi du aldrig har gjort dem og ikke af nogen anden grund?

# 25. APRIL

Der findes i os alle en guddommelig gnist, der kaldes *jeg er, at jeg er*, og når den bliver vakt og næret, er den i stand til at udrette mirakler i en forbløffende grad.

## 26. APRIL

Jeg tror på mirakler, og jeg ved også, at jeg ikke er denne ydre krop. Jeg frygter ikke døden, fordi jeg er uden fødsel, uden død og uden forandring. Det er mit *jeg er*-nærvær, hvor jeg er et med Gud.

# 27. APRIL

Mennesker er multidimensionale. Det forstår vi ikke. Vi tror, at vi bare er endimensionale, måske todimensionale. Vi ser ikke, at vi er atten, tyve, halvtreds, *hundreder* af dimensioner, som alle er en del af denne overgangsproces, der kaldes menneskeheden.

Og når du forstår det, er døden ikke længere noget at være rædselsslagen for. Det handler ikke om overbevisning eller tro, det er ikke noget religiøst. Det er bare en forståelse af, at det ikke er muligt at dræbe tænkning.

## 28. APRIL

At være et spirituelt væsen er at være i stand til at berøre sit usynlige selv.

# 29. APRIL

Et nederlag er en dom, en mening. Det stammer fra din frygt, som kan fjernes gennem kærlighed – kærlighed til dig selv, kærlighed til det, du laver, kærlighed til andre og kærlighed til din klode.

# 30. APRIL

Der er et niveau af bevidsthed til rådighed for dig, som du formentlig ikke er fortrolig med. Det strækker sig opad og overskrider det normale bevidsthedsniveau, som du er mest vant til. På dette højere eksistensplan, som du og hvert eneste menneske, der nogensinde har levet, kan få adgang til, hvis I vil, er det ikke alene sandsynligt, at ønsker kan opfyldes – det sker med garanti.

# I. MAJ

Din sjæls ideal, det, den længes efter, er ikke mere viden. Den er ikke interesseret i sammenligninger eller i at vinde eller i lys eller i ejerskab og ikke engang i lykke. Din sjæls ideal er plads, udvidelse og uendelighed, og den ene ting, den har brug for mere end noget andet, er at være fri til at udvide sig, til at række ud og omfavne uendeligheden. Hvorfor? Fordi din sjæl er selve uendeligheden. Den har ingen restriktioner eller begrænsninger – den modsætter sig at være spærret inde – og når du forsøger at styre den med regler og forpligtelser, er den ulykkelig.

# 2. MAJ

Hvert eneste sted undervejs har været nødvendigt for dig for at være her.

# 3. MAJ

Du er nødt til at tage ansvar for alt, hvad du er i dit liv, og alt, hvad du har af indre liv. For mig betyder ordet *ansvar* „evnen til at respondere ansvarligt". Jeg har ansvaret; jeg har evnen til at respondere ansvarligt.

# 4. MAJ

Din selvopfattelse er en blanding af dine overbevisninger i forhold til din tilknytning til en højere magt. Du tror noget med hensyn til, om Gud eksisterer eller ej. Du har forskellige syn på, hvor langt troen kan bære dig. Om der er noget inden i dig eller ej, som du enten kan eller ikke kan stole på, når det gælder om at udføre mystiske eller mirakuløse ting, bliver præget af dine overbevisninger. Du har erhvervet dig bestemte overbevisninger med hensyn til dit sinds kraft. Du har i almindelighed tillid til, at du kan forlade dig på den usynlige del af dig, så den gør de almindelige ting i livet som at huske en usynlig liste over ting, der ligger gemt et eller andet sted i din hukommelse, så du kan købe ind på vejen hjem fra arbejde. Men hvad finder dine overbevisninger på om din evne til at skabe *mirakler*? Er det at helbrede din krop eller at manifestere en længe ønsket partner en del af din selvopfattelse?

# 5. MAJ

I barndommen var repetition noget, du højst sandsynligt brugte til at få ting, du tilegnede dig, til at sidde fast. (Du kan formentlig huske, at du insisterede på, at nogen skulle læse en bog eller en historie igen og igen, indtil du kunne den udenad). Gentag i den samme ånd denne bekræftelse om og om igen, så den bundfælder sig og bevæger sig fra dit underbevidste, vanebetingede sind helt frem i bevidsthedens forreste række: *Jeg giver slip på gamle måder at tænke på, og jeg får adgang til bevidsthed.*

# 6. MAJ

Når du dømmer andre, definerer du ikke dem – du definerer *dig selv*.

# 7. MAJ

Det virker, som om der er usynlige kræfter, der styrer mig, når jeg bevæger mig fremad på min spirituelle vej, så jeg opfylder en dharma, som C.G. Jung også gav udtryk for i forbindelse med sit livsarbejde. Ligesom ham har jeg ofte haft denne „følelse af bestemmelse, som om mit liv var givet mig af skæbnen og skulle indfris". Gennem hele min professionelle karriere har også jeg følt mig vejledt, når jeg fornemmede, at jeg blev trukket i retning af et nyere og højere spirituelt sted. Det er, som om engle sender mig information relateret til det, jeg har planer om at skrive og opleve – længe inden den faktiske proces med at skrive/tale.

# 8. MAJ

Lær at finde velsignelsen i smerte. Øv dig i at *iagttage* smerten i stedet for at eje den.

# 9. MAJ

Når du først har lært, hvordan du kommer ind i dit indre kongerige, har du en særlig retræte i dit indre, som altid er til rådighed for dig.

# 10. MAJ

Da jeg gik ind i mit ottende årti her på jordkloden, gav jeg mig til at se tilbage på de mere bemærkelsesværdige påvirkninger i mit liv, der tilsyneladende bare *dukkede op*. På afstand kunne jeg se den virkning, de havde haft, når det kom til at ændre den egodominerede retning, mit liv var ved at tage på disse tidligere tidspunkter. Da disse enestående signalbegivenheder eller mennesker materialiserede sig i min fortid, var jeg ude af stand til at få øje på det større perspektiv i det, der skete, sådan som de fleste af os er. Men nu, i tilbageblikket og ved at skrive om, hvordan man lever et liv fra en spirituel vinkel og får alle sine ønsker opfyldt, kan jeg se disse begivenheder som brikker i et puslespil, som tråde i en stor gobelin, der er både ærefrygtindgydende og meget meningsfulde for mig.

# 11. MAJ

Du kan ikke holde fast i vinden. Det er det samme med tanken.

# 12. MAJ

Giv dig selv lov til at blive bevidst om den ikkefysiske virkelighed, du er en del af. Ræk ud mod englene eller dette højere usynlige plans beboere. Vid, at du kan få adgang til vejledning fra dem, der har levet her før. Tilbring tid i meditation med at kontakte følelserne på et højere bevidsthedsplan.

# 13. MAJ

I går er lige så meget forbi som Den Peloponnesiske Krig.

# 14. MAJ

I formens verden er det at give andre skylden en be-
kvem undskyldning for, at verden ikke er præcis så-
dan, som vi gerne ville have. Verdens tilstand afspej-
ler vores sindstilstand.

# I5. MAJ

Du vil efterhånden opdage, at hvad som helst, du er *nødt til* at have, ender med at eje dig. Det morsomme er, at når du giver slip på det, du vil have, begynder du at få mere af det.

# 16. MAJ

Er du en del af problemet, eller er du en del af løsningen?

# 17. MAJ

Jeg kommer til at tænke på Henry David Thoreaus bemærkning om, at „vores sandeste liv er, når vi er vågne i drømme". Det forekommer mig kun logisk, at hvis vi i en tredjedel af vores liv her på jorden er i stand til at manifestere alt, hvad vi retter vores opmærksomhed imod – uden at være nødt til at gøre os fysiske anstrengelser, kun ved at give os selv lov til at bevæge os ud over tid og rum – hvorfor så ikke i de to andre tredjedele af vores liv? Det er det, jeg tror, Thoreau henviser til, når han opfordrer os til at være tro mod vores autentiske selv ved at være vågne i vores drømme.

# 18. MAJ

En højere selvopfattelse involverer, at du tager nye sandheder til dig og aflægger dit gamle syn på, hvad du kan præstere. Dette er den eneste måde, hvorpå du kan opnå det, du ønsker.

# 19. MAJ

Husk altid, når du ser på verden og ser millioner og atter millioner af blomster åbne sig, at Gud hver dag gør det hele uden at bruge magt.

# 20. MAJ

Du indleder dette spændende eventyr med at ændre din selvopfattelse ved at lade dit nuværende selv gå bort. Det er rigtigt, ved at give afkald på din personlige historie som dommer over dit liv holder du op med at modarbejde dit fulde potentiale. Du holder simpelthen op med at skabe din identitet på baggrund af det, du har lært. Mind dig selv om, at alt, hvad du har troet var sandt, har bragt dig til dette punkt, hvor du ønsker at *undersøge* frem for at *modarbejde* dine højere evner.

# 21. MAJ

For at tilgive er du nødt til at have bebrejdet nogen noget. I sidste ende er der intet at tilgive, fordi der ikke er noget at dømme og ingen at bebrejde.

# 22. MAJ

Vær tålmodig og kærlig over for hver eneste frygtsom tanke. Øv dig i at iagttage din frygt som et vidne, og du vil se den gå i opløsning.

# 23. MAJ

Mind ofte dig selv om, at du er nødt til at sende de gamle uanvendelige forfalskninger af dit højeste selv ud af dit liv for evigt. Vær i stand til at sige: „Jeg er Gud," med stolthed og forvisning om, at du ikke er blasfemisk eller upassende. At tro på egoets ide om Gud som et ondsindet supervæsen, der har yndlinge og bliver opfyldt af raseri, hvis du går ham imod, svarer til at tro på påskeharen og bede til den om at løse dine problemer. Fasthold altid Jesu ord i dine tanker – „Gud er kærlighed" – og vær stolt af, at du er den almægtige Gud selv.

# 24. MAJ

Al din tvivl er en forhindring, der står i vejen for din indtræden i den sande magis kongerige.

# 25. MAJ

Det vigtigste, vi kan gøre for at uskadeliggøre egoets indflydelse, er at erklære, at vi er *parate*! Husk den gamle talemåde: „Når eleven er rede, vil læreren vise sig." Læremestrene og lektionerne er der altid, hele vores liv igennem. Men når egoet har føringen, lægger vi ikke mærke til disse lærere. Når vi først virkelig anerkender vores parathed til at leve et målrettet og meningsfyldt liv, er der meget lidt at gøre. Vi begynder at leve i en anden verden end den, vi oplever i vores egostyrede persona. Som jeg har skrevet og sagt mange gange: *Når vi ændrer den måde, vi ser tingene på, ændrer de ting sig, som vi ser på.*

# 26. MAJ

Du ser, hvad du tror på, snarere end at tro på, hvad du ser.

# 27. MAJ

Du kan lade din forestillingsevne gennemgå et grundigt eftersyn. Erstat de gamle ideer om, at: *Jeg har altid været sådan, det er min natur, det er det eneste, jeg nogensinde har kendt* med: *Jeg er Gud, jeg er dygtig, jeg er stærk, jeg er rig, jeg er sund, jeg er lykkelig.* Brug din forestillingsevne til at få opfyldt alle de ønsker, du har, der er Gud-realiserede og i harmoni med Gud. Udvid din forestillingsevne, så den rækker ud over den selvopfattelse, der begrænser dig til din almindelige bevidsthed.

# 28. MAJ

Du er på en gang et bankende hjerte og et enkelt hjerteslag i denne krop, der kaldes menneskeheden.

# 29. MAJ

Det er umuligt at opfange det, kildens universelle energi udsender, hvis du bliver ved med at være forkert indstillet og ikke ændrer frekvens for at tune ind på den rigtige. Sid bare et øjeblik, og tag imod disse tanker lige nu: *Du er kommet fra en kilde med ubegrænset overflod. Den genererer stadigvæk samme ide i dag – du lod den bare bag dig. Men når du vender tilbage til disse frekvenser fra din kilde, vil du begynde at genkende dem på ny. De vil begynde at lyde velkendte for dig. Og i sidste ende vil du igen være i harmoni og spille den musik, du spillede, længe inden du fik et ego og startede din rejse mod den forkerte frekvens.*

# 30. MAJ

En indre viden sammen med et brændende ønske er forudsætningen for at blive et menneske, som er i stand til at manifestere sine inderste ønsker.

# 31. MAJ

Kvanteøjeblikke, der vender op og ned på livet, er ekstremt intense. Selv helt frem til i dag kan jeg huske hver eneste detalje af det imponerende kvanteøjeblik, som indtraf, da jeg opgav alkohol. Lagnerne på sengen, det tøj, der hang hen over skabslågen, en lille tegneserie, der var tapet fast på spejlet over mit toiletbord, beholderen med mønter på gulvet, farven på væggene, en skramme på mit hovedgærde ... alt står så livagtigt for mig i dag, som det gjorde for over 20 år siden. Det forekommer mig, at ånden frembringer et udråbstegn, når den kalder, for at understrege hele episoden. Der er en intensitet i de øjeblikke, som bliver hos os for evigt.

# 1. JUNI

Du er nødt til først at elske dig selv og være opfyldt af kærlighed for at være i stand til at give den væk. Når du først er opfyldt af denne kærlighed, og det er alt, hvad du har inden i dig, er det det eneste, du vil have at give væk.

# 2. JUNI

Et træ lader livskraften arbejde naturligt gennem sig.
Du har evnen til i dine tanker at være lige så naturlig
som træet.

# 3. JUNI

Du kan ret nemt bryde vanen med at bruge tiden, før du skal sove, på at gennemgå ting, som er frustrerende og foruroligende. Gør dette til et helligt, tilfredsstillende tidsrum, hvor du giver næring til tanker, som er i harmoni med de *jeg er*-tanker, du har anbragt i din fantasi. Når du mærker, at du trækkes i retning af negativitet, standser du simpelthen op og minder i din søvnige tilstand venligt dig selv om, at du ikke ønsker at træde ind i din ubevidste verden med disse følelser. Antag så i kroppen følelsen af, at dit ønske går i opfyldelse. Du har brug for at gå ind i søvnen med en påmindelse til din underbevidsthed om, at den automatisk skal få dine livsforbedrende ønsker til at gå i opfyldelse.

# 4. JUNI

Når du får at vide, at du er syg, kan du enten forbe-
rede dig på at lide eller på at blive rask.

# 5. JUNI

Hvis du ønsker at finde dit sande formål i livet, kan du med sikkerhed vide dette: Dit formål findes kun i form af at tjene andre og være forbundet med noget langt større end din krop/dit sind/dit ego.

# 6. JUNI

Husk disse ord af Paulus: Der er en magt i universet, som er i stand til at gå langt ud over alt, hvad du nogensinde kunne bede om eller bare tænke på, og den *arbejder i dig*. Hvad andet kunne dette være end din egen fantasi? Forbliv i en tilstand af nåde og taknemmelighed over denne strålende gave, som du altid vil kunne gøre det med, du vælger at gøre.

☾

# 7. JUNI

Sidestil ikke dit selvværd med, hvor godt du klarer dig i livet. Du er ikke, hvad du gør. Hvis du er, hvad du gør, så ... *er* du ikke, når du *ikke gør*.

# 8. JUNI

Se på, hvad du ønsker at bringe ind i dit liv, vær derpå taknemmelig for alt, hvad du møder. Vis din taknemmelighed ved at ride på bølgen af din eksistens, og lad den være din allierede. Du kan styre den, mens du nyder denne pragtfulde tur, men hvis du vælger at kæmpe imod, vil du til sidst blive trukket ned af strømmen. Dette gælder for hvert eneste aspekt af dit liv. Jo mere du kæmper imod, jo mere modstand skaber du.

# 9. JUNI

Hold op med at dømme, og stå ikke i vejen for dig selv. Jeg fortæller altid mine tilhørere følgende, når jeg taler om at skrive: At skrive er ikke noget, jeg gør, at skrive er noget, jeg er. Jeg er skrivende – det er bare et udtryk for mig.

# 10. JUNI

Egenskaberne kreativitet og genialitet er inden i dig og venter på din beslutning om at leve op til intentionens kraft. Genialitet er en karakteristisk egenskab ved den kreative kraft, som lader al materiel skabelse tage form. Den er et udtryk for det guddommelige.

# 11. JUNI

Giv slip på dit egos behov for at have ret. Når du er midt i et skænderi, spørg da dig selv: Ønsker jeg at have ret eller at være lykkelig? Når du vælger den glade, kærlige, spirituelle måde, styrkes din forbindelse til intentionen.

# 12. JUNI

I ordet *transformation* er ordet *form* placeret lige præcis i midten med stavelsen *trans* foran – som betyder at sætte sig ud over form. Lev netop ud fra det sted, som vil føre dig langt ud over grænserne for dit tilsyneladende begrænsede liv. Udforsk fantasien, som er kilden til al væren eller fysisk virkelighed.

☾

# 13. JUNI

Alkohol og andre stoffer (de lovlige såvel som de ulovlige) sænker kroppens energiniveau og svækker dig. Dertil vil du opdage, at der dukker mennesker med samme lave energi op i dit liv. Ved at afholde dig fra at indtage disse stoffer kan du opnå det bevidsthedsniveau, du længes efter.

## 14. JUNI

Jeg er taknemmelig mod alle de mennesker, som har sagt nej. Det er på grund af dem, jeg har gjort det hele selv.

# 15. JUNI

Bed åndens mystiske, usynlige verden om at vejlede dig. Skab en atmosfære, hvor du lader den komme ind uden at presse den. Det hele kommer fra ånden, og din egen fantasi er selve ånden, hvis du sørger for at være i harmoni med det usynlige.

# 16. JUNI

Betragt hver eneste oplevelse, du nogensinde har haft, og alle, som nogensinde har spillet en rolle i dit liv, som sendt bevidst til dig for at gavne dig. I dette univers, skabt af en guddommelig, organiserende intelligens, findes der simpelthen ingen tilfældigheder.

# 17. JUNI

Jeg tilbragte år med at studere Patanjalis lære, som for flere tusinde år siden mindede os om, at når vi står fast – hvilket vil sige, at vi altid afholder os fra at rette ondskabsfulde tanker mod andre – holder alle levende væsner op med at føle fjendskab i vores nærvær. Jeg ved godt, at vi alle er mennesker: du, jeg, os alle sammen. Nu og da glipper det for os, og vi trækker os væk fra vores højeste selv og ind i domme, kritik og fordømmelse, men det er ikke en grund til at vælge at praktisere den form for interaktion. Jeg kan kun sige, at da jeg langt om længe fattede det og kun sendte kærlighed til et andet af Guds børn, som jeg ellers havde gået og dømt og kritiseret, fik jeg straks oplevelsen af indre tilfredshed.

# 18. JUNI

Ideen om *dit højere selv* vil gradvist udvikle sig til *dit højeste selv*, som i sandhed er alvidende, almægtigt og i stand til at frembringe mirakler. Her vil du se en ny virkelighed – en majestætisk ide om dig selv, som tidligere virkede utænkelig.

# 19. JUNI

Jeg skriver uden at gøre. Jeg giver simpelthen ideer lov til at komme igennem mig og ned på siden. Jeg har ikke travlt med at skrive, med at prøve, med at kæmpe, med at arbejde eller med noget andet gøremål – jeg giver simpelthen slip og lader Gud komme til, ligesom jeg gør med mit hjerte, mine lunger, mit kredsløb og alt andet, som mit fysiske jeg består af. Jeg lader mig selv være.

# 20. JUNI

Jo mere du standser op for at iagttage dyr og lære af dem, jo sundere og mere fredfyldt vil dit liv blive.

# 21. JUNI

Vælg at være tæt på mennesker, som gør dig stærk, som appellerer til din følelse af kontakt med intentionen, som kan se storheden i dig, som føler sig forbundet med Gud, og som lever et liv, der beviser, at ånden har fundet det muligt at lade sig fejre gennem dem.

# 22. JUNI

Dit højere selv er et stykke af en alkærlig, altfavnende kreativ kilde. Det eneste, du behøver, er at acceptere, at dette ikke er noget uden for dig. Det bor inden i dig (Guds rige er et indre rige) – rent faktisk er det dig – og alt, hvad du behøver at gøre, er at begynde at komme i harmoni med denne guddommelige essens, begynde at handle, som den handler, og tænke, som den tænker, så vil du indlede processen med at manifestere, præcis som den gør.

☾

# 23. JUNI

Kvalitet frem for udseende ... etik frem for regler ... integritet frem for dominans ... viden frem for præstationer ... klarhed frem for anskaffelser.

# 24. JUNI

Når du placerer en intention i din forestillingsevne, skal du ikke tillade et spørgsmålstegn for enden af din udtalelse. Se dit udsagn ende i et grammatisk udråbstegn. „Jeg bringer dette ind i min virkelighed!" er nemt at sige, hvis du allerede lever ud fra den erklæring i din forestillingsevne og mærker, at du har den følelse i din krop, som du får, når dette ønske bliver opfyldt.

# 25. JUNI

Hvis du ikke elsker dig selv, vil ingen elske dig. Og ikke bare det – du vil ikke være god til at elske nogen anden. At elske begynder med selvet.

# 26. JUNI

Det underbevidste sind accepterer det som sandt, du føler er sandt. Dine følelser bestemmer din virkelighed, fordi de bliver indarbejdet i underbevidstheden. Bevidst at føle sig håbløs og gå med den følelse i dit sind, mens du fantaserer om håbløshed, vil indarbejde ideen om nederlag i underbevidstheden. Som følge heraf vil det universelle sind give dig oplevelser, som svarer til, hvad du har følt er sandt. Husk, det underbevidste sind er upersonligt og ikke selektivt. Det kan ikke skelne mellem det, du føler som et resultat af din dagligdags oplevelse af livet, og det, du føler som følge af, at du har placeret det i din forestillingsevne som et fremtidigt ønske.

# 27. JUNI

Det første skridt i retning af at skille dig af med en knaphedsmentalitet er at sige tak for alt, hvad du er, og alt, hvad du har.

# 28. JUNI

Jeg kan sagtens komme med en lang liste over grunde til, at jeg skal være fordomsfuld og fordømmende over for et andet af Guds børn, og hvorfor jeg da for pokker har ret i min oplevelse. Men hvis jeg ønsker at forfine min egen verden – og det ønsker jeg inderligt – er jeg nødt til at erstatte disse domme med kærlighed eller forholde mig til konsekvenserne ved ikke at få mine ønsker opfyldt.

# 29. JUNI

Højt realiserede mennesker lærer at tænke baglæns –
det vil sige, at de oplever det, de ønsker at intendere,
før det viser sig i materiel form. Du kan gøre det sam-
me ved at synkronisere dig med intentionens magt.

☾

# 30. JUNI

Det underbevidste sind besidder evnen til at manifestere fysisk virkelighed ud fra tanken. Hver eneste genstand og omstændighed i denne verden repræsenterer en mental tanke. *Alt, hvad der eksisterer nu, var førhen en forestilling* – det er den magt, underbevidstheden har. Men for at få del i dette utrolige kraftværk af skabelse, som du er, er du nødt til at være i stand til og villig til at opleve det inden i dig selv – i dit sind – som du ønsker at manifestere. Tanker bliver ting, når du *føler* dem og er i stand til at indarbejde dem i underbevidstheden, som så tager over.

# 1. JULI

Husk den sandhed, som jeg har skrevet om mange gange: *Du tiltrækker ikke det, du ønsker, du tiltrækker det, du er.*

# 2. JULI

Er du villig til at indoptage radikalt nye ideer, som kræver, at du ændrer din selvopfattelse? Er du modtagelig for ideen om, at du har et højere selv, der ikke er defineret af egoets interesser? Er du i stand til at lege med tanken om et ubegrænset højere selv, der er inden i dig? Kan du forestille dig, at du kan komme uden om egoets begrænsende krav, der fastholder dig på et almindeligt bevidsthedsniveau? Kan du med andre ord nærme dig spørgsmålet „hvem er jeg?" i total uvidenhed?

☾

# 3. JULI

Jo mere du ser dig selv som det, du gerne vil blive, og opfører dig, som om det, du ønsker, allerede er her, jo mere vil du aktivere disse slumrende kræfter, der skal arbejde sammen om at gøre din drøm til virkelighed.

# 4. JULI

Når du opnår tilstrækkeligt med indre fred og mærker, at du har det virkelig godt med dig selv, er det næsten umuligt for dig at blive kontrolleret og manipuleret af nogen anden.

# 5. JULI

Vejen fra ikkeværen eller ånd til verden i en eksistens som den i *Excuses Begone!* har sin oprindelse i din fantasi. Jeg elsker at minde mig selv om denne helt utrolige ide: *Der ligger en uendelighed af skove og slumrer i et agerns drømme.* Selv en skov har brug for en vision, en drøm, en ide: Ja, faktisk en frugtbar fantasi.

# 6. JULI

Du kan ikke gå rundt og være det, alle andre forventer, du skal være, leve dit liv gennem andre menneskers regler og samtidig være lykkelig og have succes.

☾

# 7. JULI

Jo mere venlighed du viser dig selv, jo mere vil det blive din automatiske reaktion på andre mennesker.

# 8. JULI

Du er kommet her for at opfylde en personlig dharma, så lad langt om længe den genialitet, der er Guds gave til dig, være aktiv i dit liv. Alt, hvad du har brug for til at indfri din skæbne, var hos dig i øjeblikket inden, under og efter din undfangelse – så søg tilbage til den viden nu.

☾

# 9. JULI

Du er i partnerskab med alle andre mennesker, ikke i en konkurrence om at blive bedømt som bedre end nogle og dårligere end andre.

# 10. JULI

Hvis du ønsker at være selvsikker, men ikke normalt optræder på den måde, så gør det i dag, bare denne ene gang, optræd i den fysiske verden sådan, som du tror, en selvsikker person ville gøre.

# 11. JULI

Når du føler dig modløs eller sløj, spørger du dig selv:
Ønsker jeg at bruge det nuværende øjeblik – *mit livs
dyrebare valuta* – på denne måde? Dette vil hjælpe dig
med at blive bevidst om betydningen af at være her
nu – ikke bare med kroppen, men også med tankerne.
Jeg vil opfordre dig til at tænke nuet nøjagtig som det,
det er: en dyrebar gave fra din kilde. Når som helst
du fylder nuet med tanker om, hvordan det plejede at
være, eller med ængstelse for, hvad nogen har gjort
for at skade dig, eller med bekymringer for fremtiden,
siger du rent faktisk „nej tak" til denne dyrebare gave
fra din kilde.

# 12. JULI

Tilgivelse er menneskets største bedrift, fordi den viser sand oplysning i aktion. Den viser, at man har kontakt med kærlighedens energi.

# 13. JULI

Inspiration kan udvikles og dyrkes som en drivende begejstring *hele livet igennem* i stedet for, at den dukker op nu og da og lige så mystisk forsvinder igen, tilsyneladende uden sammenhæng med, hvad vi ønsker. Og den er *alles* guddommelige medfødte ret – det vil sige, at den ikke er forbeholdt højt profilerede kreative genier inden for kunst og videnskab. Problemet er, at vi gradvist lige fra fødslen lærer kun at tro på den verden, der er styret af egoet ... og stiller vores medlemskab af den verden, der er styret af ånden, i bero.

# 14. JULI

Hver eneste tanke, du tænker, påvirker dig. Ved midt i en svækkende tanke at skifte til en tanke, der styrker dig, hæver du din energivibration og styrker dig selv og energifeltet omkring dig.

# 15. JULI

Vurderinger betyder, at du ser verden, som du er, snarere end som den er.

# 16. JULI

I stedet for at fokusere på det, du ikke kan, fordi det er svært og tager lang tid, skal du i stedet tænke: *Dette er helt sikkert noget, jeg kan og vil skabe for mig selv. Jeg ved, jeg kan gøre alt, hvad jeg sætter mig for. Jeg forventer, at det uden videre ligger inden for mine evner at gennemføre. Jeg er ikke bange, for jeg forstår, at al den hjælp og vejledning, jeg har brug for, er til rådighed. Jeg er begejstret, henrykt og opløftet over at indfri denne drøm. Jeg forstår, at de tanker, jeg har, er flettet sammen med entusiasme og lidenskab, og at intet kan standse mig. Rent faktisk er jeg sikker på, at uanset hvad jeg behøver for at virkeliggøre mine drømme, så er det allerede på vej. Velfornøjet holder jeg øje med det, universet sender mig.*

# 17. JULI

Loven om tiltrækning erklærer, at *lige tiltrækker lige*. Så når du tænker, som det universelle sind tænker, vil det slutte sig til dig; når du tænker på måder, som er modsat det guddommelige sinds, tiltrækker du mere af det, du tænker på. Det betyder, at hvis alle dine tanker er fokuserede på, hvad der er forkert, hvad der mangler, hvad du ikke kan gøre, eller hvad du aldrig før har gjort – det vil sige på *undskyldninger* – vil du skaffe dig mere af det, du tænker på.

Brug loven om tiltrækning til at sige farvel til undskyldninger. Når du gør det, vil universet genkende dig, og der dukker hjælp og vejledning op i form af synkroniciteter. Når du kommer i harmoni med dit autentiske, oprindelige selv i stedet for dit ego, vil du begynde at føle det, som om du samarbejder med skæbnen.

## 18. JULI

Dine begrænsninger bestemmes af den overenskomst, du har om, hvad der er muligt. Lav om på overenskomsten, og du kan ophæve alle begrænsninger.

# 19. JULI

Hver gang nogen gennem årene har sagt til mig, at de bare ikke forstår, hvorfor jeg er så „pernitten" med hensyn til mine sundhedsvaner, tænker jeg altid: *Hvis jeg ikke havde en sund krop, ville jeg ikke have noget sted at bo.*

## 20. JULI

Når du henviser til tidligere kampe og bruger dem som grund til, at du ikke kommer videre med dit liv i dag, giver du fortiden ansvaret for, at du ikke kan have succes og være lykkelig i nutiden.

# 21. JULI

Husk at lege med din fantasi. Forestil dig, at din hjerne er konstrueret sådan, at der ikke findes nogen knap til fremstillingen af undskyldninger. Derfor sker der det, at dine tanker – i samme øjeblik, du overvejer at forfølge noget, du altid har ønsket dig at opnå – centrerer sig omkring ideen, så du får grænseløs energi til at gøre præcis det, du sætter dig for, og masser af tid til at forfølge det.

# 22. JULI

Du kan ikke altid være nummer et, vinde en konkurrence, få fortjenstmedalje eller komme på æreslisten, men du kan altid tænke på dig selv som en vigtig person, der er værd at have med at gøre.

☾

# 23. JULI

Vi kommer fra *intetheden* til *her og nu* uden noget. Vi forlader *her og nu* for *intetheden* uden noget. *Intetheden, her og nu*; det hele er det samme, det er bare et spørgsmål om mellemrum.

☾

# 24. JULI

Hvordan finder du ud af, at du er i harmoni med din sjæls formål? Du ved det i kraft af den måde, den rationelle fornuft taler direkte til dig på i dit personlige indre. De tanker og følelser, der kommer op til overfladen, har det med at være sådan her: *Dette er i sandhed den, jeg er. Ved at foretage disse forandringer og udrydde disse undskyldninger vil jeg leve mit liv målrettet og indfri den skæbne, jeg kom her for at fuldbyrde.*

# 25. JULI

Hvis du forsøger at regne ud, hvordan din kilde til væren tænker, er det første, du er nødt til at gøre, at komme af med egoet. Når du iagttager, hvordan skabelse finder sted, ser du, at kildens energi udelukkende handler om at *give*, mens dit ego udelukkende handler om at *få*. Så at bringe dig i harmoni med kildens energi vil sige at flytte fokus fra: *Hvad kan jeg få ud af det her?* til: *Hvordan kan jeg tjene?*

# 26. JULI

For at få, hvad du ønsker, skal du holde øje med din indre dialog og sørge for, at dine tanker svarer til det, du har til hensigt at skabe.

☾

# 27. JULI

For cirka 2.500 år siden talte Lao Zi om „de fire kar-
dinaldyder": *ærbødighed over for alt liv, naturlig oprig-
tighed, venlighed* og *en støttende adfærd*. Han lagde
mærke til, at når vi praktiserer dem som en måde at
leve på, får vi adgang til universets sandhed og lærer
den at kende. Disse fire dyder repræsenterer ikke ydre
dogmer, men en del af vores oprindelige natur – ved
at praktisere dem kommer vi på ny i harmoni med kil-
den og får adgang til de kræfter, som kildens energi
har at byde på. Jo mere dit liv er i harmoni med de fire
dyder, jo mindre kan det kompromisløse ego kontrol-
lere dig. Og når dit ego er tæmmet, opdager du, hvor
nemt det er at få adgang til guddommelig vejledning
– du og det guddommelige begynder at operere på
samme frekvens.

# 28. JULI

Alle „tingene" i dit liv er kommet for at tjene dig snarere end at gøre dig til en, der tjener tingene.

# 29. JULI

At komme af med livslange tankevaner kan ikke ske og vil ikke ske, hvis det ikke slår dig som en fornuftig ting at gøre. Det gør ikke den store forskel, at alle, du kender, fortæller dig, hvor vigtigt det er at forandre sig – hvis det ikke giver mening for dig, vil du vende tilbage til dine gamle vaner og fortsætte med at bortforklare dem med din alenlange, bekvemme liste over undskyldninger. Hvis svaret på: „Ønsker jeg virkelig at fremkalde denne forandring?" er ja, er det det eneste, du behøver for at komme videre og få det til at lykkes. Men hvis der er den mindste tvivl i dit sind, vil dine gamle undskyldninger komme op til overfladen, og du vil falde tilbage til dine gamle vaner.

# 30. JULI

Undersøg dine vaner meget grundigt sammen med alle de undskyldninger, du har samlet til dig undervejs for at forklare dig, og stil så dig selv et enkelt spørgsmål: *Gør de, at jeg får det godt?* Hvis svaret er nej, påhviler det dig at indlede processen med at træffe beslutninger, som rent faktisk gør, at du får det godt. Det er det samme som at bringe dig i harmoni med din sjæls kald – fordi det at have det godt virkelig opløfter dig og bringer dig i harmoni med din sjæls kald.

# 31. JULI

Når du ikke knytter dig til de ting, du ønsker, men giver dem lov til at strømme hen imod dig – og gennem dig – er det muligt virkelig at føle, at du har overflod og succes.

# 1. AUGUST

Ofte er det sådan, at en ny begyndelse viser sig i for-
klædning af en smertefuld afslutning. Med den vi-
den, at der findes noget konstant, der rækker ud over
øjeblikkets skuffelse, mærker du, at „det her går også
snart over." Det har det altid gjort, og det vil det altid
gøre.

# 2. AUGUST

Vær opmærksom på alt, der styrer dig i retning af aktiviteter, du virkelig brænder for. Hvis begivenhederne for eksempel synes at føre dig i en ny retning på jobbet, eller der er tegn, der peger i retning af at skifte job eller ændre bopæl, så vær opmærksom! Lad dig ikke standse af, at du nægter at give efter, fortsætter i en kendt og frustrerende rutine og retfærdiggør din frygt for forandringer. Mærk, hvordan taos energi strømmer gennem dit liv, og hold op med at modsætte dig dit kald.

# 3. AUGUST

Du kan ikke få sveskesaft ud af en appelsin, uanset hvor hårdt du presser. Du kan ikke reagere med had, hvis du kun har kærlighed i dig.

☾

# 4. AUGUST

Ubalancen mellem dit ønske om en sund krop, der føles rigtig godt, og varige usunde vaner bliver ikke overvundet ved blot at ændre vanerne. Du skal være fast besluttet på at lære kunsten at tro lidenskabeligt på noget, der endnu ikke findes, og nægte at lade dette billede blive forstyrret af dig selv eller en anden. For du er i sandhed ikke det, du spiser, eller hvor meget du motionerer, men derimod det, du tror om den „dig", du lige nu er ved at give liv i dine tanker.

# 5. AUGUST

At være medskaber er at bruge energien fra åndens usynlige verden i et samarbejde med den. Det er den perfekte balance mellem dit kald her i verden og den rene energi i skabelsen.

# 6. AUGUST

Man kan ikke vælge side på en rund klode.

# 7. AUGUST

Hvis du tvivler på universets principper, arbejder de ikke for dig.

# 8. AUGUST

Når du bebrejder Gud, at du ikke har, hvad du behøver eller ønsker, bruger du en nem undskyldning for at acceptere din lod her i livet. Som apostlen Paulus gør os opmærksom på, er Gud mere end villig til at skænke dig en overflod af velsignelser. Faktisk er Gud ren overflod, mens det er dig, der er ude af balance på velstandsskalaen. Hvis du lægger ansvaret for dine mangler over på den guddommelige vilje, skaber du en gigantisk energimodstand. Du beder universet om at sende dig mere af det, du tror på.

# 9. AUGUST

Begrebet balance definerer vores univers. Kosmos, kloden, årstiderne, vand, vind, ild og jord er alle i en fuldkommen balance. Vi mennesker er den eneste undtagelse. At komme i balance handler i mindre grad om at ændre adfærd og mere om at harmonisere alle dine tanker, så der opstår en balance mellem det, du ønsker, og den måde, du lever dit liv på i det daglige.

# 10. AUGUST

Glæd dig over det faktum, at den universelle lov, der skaber mirakler, ikke er ophævet.

# 11. AUGUST

Der bliver mere af det, du tænker på. Hvis dine tanker
er rettet mod det, der mangler – vil det, der mangler,
nødvendigvis tage til.

# 12. AUGUST

Du kommer ind i denne verden i en lille rynket krop,
og du forlader den i en stor rynket krop ... hvis du er
heldig.

# 13. AUGUST

Da dit sind jo er dit eget private territorium, kan du prøve alle nye ideer af for dig selv et par dage, før du deler dem med andre.

# 14. AUGUST

Hele det universelle system holdes sammen af kærlighed, harmoni og samarbejde. Hvis du bruger dine tanker i overensstemmelse med disse principper, kan du overvinde alt, hvad der kommer i vejen for dig.

# 15. AUGUST

Du kan begynde at ændre den holdning, der er ude af balance hos dig, ved at opbygge en indre bekræftelse, til den bliver selvfølgelig for dig. Gentag i det stille noget i stil med: *Jeg er en del af Gud, et guddommeligt og individuelt udtryk for Gud. Jeg er værdig og fortjener alt det, Gud er, og alt, hvad der flyder ind i mit liv. Den overflod, jeg ønsker, er på vej, og jeg vil gøre alt, hvad jeg kan, for ikke at blokere og modstå denne guddommeligt inspirerede strøm.*

# 16. AUGUST

Slip forestillingen om, at tingene ikke burde være så-
dan. De *er* sådan!

# 17. AUGUST

Du er vand, og vandet er dig. Tænk over denne flyden-
de energis mystiske og magiske natur, som vi tager
for givet. Hvis vandet ikke er i bevægelse, bliver det
til stillestående brakvand, hvis det strømmer, holder
det sig rent. Det søger ikke høje steder hen for at være
oven over det hele, men nøjes med de laveste steder.
Det samler sig i floder, søer og åer og strømmer ud i
havet, hvor det fordamper for igen at falde ned som
regn. Det planlægger ikke og foretrækker intet: Det
har ikke *til hensigt* at holde liv i dyr og planter. Det
har ingen *plan* om at vande marker, slukke vores tørst
eller give os mulighed for at svømme, sejle, stå på ski
eller dykke. Det er nogle af de gavnlige virkninger, der
opstår naturligt som følge af, at vandet bare gør, som
det gør, og er, hvad det er.

# 18. AUGUST

Jeg kan stort set gøre alt, hvad jeg ønsker at gøre, for det er ikke vores form, der tæller. Det er ikke kroppens alder, der tæller. Men derimod om man transcenderer sin form. Det er her, *transformation* kommer fra.

Se det sådan her: Du har allerede været i mange forskellige kroppe her på jorden. Jeg mener – jeg befandt mig i en krop, der vejede fire kilo, da jeg blev født, og jeg voksede op i en krop, der kun var 75 centimeter høj. Intet ved mig – ikke en eneste fysisk celle, der var i min ti år gamle krop – er i den krop, jeg har nu som 46-årig. Alt er forandret, og alligevel kan jeg huske alt, hvad jeg gjorde, da jeg var ti år gammel. Jeg er altså ikke den krop, der nu er borte – jeg er tankerne bag den. Jeg er ikke en krop med en sjæl. Jeg er en sjæl med en krop.

# 19. AUGUST

At lave penge er ligesom at lave alt muligt andet i tilværelsen: Det gælder om ikke at være knyttet til dem og om ikke på nogen måde at give dem magt over livet.

# 20. AUGUST

Hvis vi vil have en magisk krop, må vi have et magisk sind.

# 21. AUGUST

Tillad dig selv at blive bevidst om den ikkefysiske virkelighed, du er en del af. Søg kontakt med englene og beboerne på dette højere, usynlige plan. Vid, at du kan få vejledning fra dem, der tidligere levede her. Brug tid i din meditation på at mærke de følelser, der svarer til et højere bevidsthedsniveau.

# 22. AUGUST

Lidelsen viser sig altid i en eller anden form. Det er ikke dig, der lider, men den person, du ser dig selv som.

# 23. AUGUST

Hvorfor meditere? Alle har på et eller andet tidspunkt overvejet spørgsmålet og er nået frem til alle mulige svar på det. Nogle af de mange grunde til at meditere omfatter reduktion af stress, at nå til en følelse af fred, at mindske udmattelse, at hæmme aldringsprocessen, at forbedre hukommelsen, at nå til klarhed om sit formål og endda blive rask. Det er alt sammen stærke motiver for at begynde en meditationspraksis. Hvem vil ikke gerne have det sunde, lykkelige og meningsfulde liv, der ledsager disse gavnlige virkninger? Men alle disse grunde blegner i forhold til erkendelsen af, at meditation er vores måde at få bevidst kontakt til Gud på.

# 24. AUGUST

Hvis du virkelig ikke dømmer andre, kan du heller ikke generalisere eller inddele mennesker i grupper som: gamle, fra Syden, uuddannede, popfans, tilhørende rød eller blå blok, konservative, liberale og så videre. En stereotyp er en dom. Du kan ikke være fordomsfri og samtidig kritisere den måde, hvorpå mennesker taler, spiser, klæder sig, er selskabelige, danser eller noget som helst andet. Hvis du mener, at du ikke dømmer andre, men indrømmer, at du er tilbøjelig til at generalisere og kritisere, så er du ude af balance! Der er nødt til at være sammenhæng i tingene, så dine løbende tanker og i sidste ende din adfærd har samme vibration som din indre selvforestilling.

# 25. AUGUST

Du ville aldrig misbruge noget, du anså for meget værdifuldt. Antag, at du havde en smuk vase, der var 250.000 kroner værd – den ville du aldrig behandle dårligt. Du ville ikke kaste rundt med den eller smide den på gulvet, vel? Du ville formentlig stille den et sikkert sted, hvor der ikke kunne ske den noget.

Det samme gælder for dig selv. Hvis du opfatter dig selv som meget værdifuld, vigtig og betydningsfuld som menneske, vil du aldrig nogensinde misbruge dig selv, og du vil heller ikke tillade andre at gøre det. De fleste former for misbrug, mennesker lider under – hvad enten det er rygning eller hang til at spise for meget eller alkoholisme eller noget helt fjerde – skyldes en overbevisning og en grundlæggende tro på, at *det, de misbruger, ikke har nogen værdi.*

# 26. AUGUST

En af de store ubalancer i livet er uoverensstemmelsen mellem dit daglige liv med dets rutiner og vaner og den drøm, du har dybt inde i dig selv, om en eller anden særlig tilfredsstillende måde at leve på.

# 27. AUGUST

Overvindelsen af den ubalancerede og afhængige tænkning begynder og slutter med erkendelsen af, at du – med kildens hjælp – har alt, hvad du har brug for her og nu, til at ophæve ubalancen. Som et gammelt hinduistisk ordsprog fortæller os: „Gud giver alle fuglene mad, men han kaster den ikke ned i deres reder." Genskab harmonien med Gud, og flyv uden at lade dig tynge af afhængighed. Jeg lover dig, at det er langt mere opløftende at være i balance og fri for afhængighed!

# 28. AUGUST

Elsk det, du er afhængig af. Hvis det er mad, så elsk det. Er det cigaretter, så elsk dem. De er nogle af dine bedste læremestre. De har gennem direkte erfaring lært dig, hvad det er, du ikke længere ønsker at være. De har af en eller anden grund bragt dig ud på dybt vand. Du er en del af et intelligent system. Der er ingen tilfældigheder i et univers, der holdes oppe af alvidenhed og almagt. Vær taknemmelig for disse lærere.

Hvis du hader dem, forbander dem og prøver at kæmpe med din afhængighed, forrykker du balancen mod had og kamp. Du fortsætter med at jage efter det, du ikke ønsker, fordi du er i en svækket tilstand. Kamp svækker – kærlighed styrker.

Ryk derfor balancen i retning af kærlighed. Vær taknemmelig for de ting, du er afhængig af, som har lært dig så meget. Send dem en stille velsignelse. Når du gør det, flytter du dig i retning af den kærlighed, du er.

# 29. AUGUST

Når vi elsker os selv, nægter vi at lade andre styre vores følelser på afstand. Tilgivelse er vores middel til at nå det.

# 30. AUGUST

Den manglende balance mellem drømme og vaner kan være meget subtil. Den viser sig ikke nødvendigvis i form af åbenlyse symptomer som mavesurhed, depression, sygdom eller angst. Det er hyppigere noget, der opleves som en uvelkommen ledsager ved din side, som hele tiden hvisker til dig, at du overser noget. Der er en eller anden, ofte ubestemmelig, opgave eller oplevelse, du fornemmer som en del af din væren. Den kan synes uhåndgribelig, men du mærker længslen efter at være det, du er født til at være. Du føler, at der er en højere mening. Din *måde at leve på* og din *mening med livet* er ude af balance. Den subtile ledsager vil fortsætte med at anspore dig til at genvinde balancen, til du tager det alvorligt.

# 31. AUGUST

Jeg tror, det er bedre for dig at glemme din personlige historie med alle de mangler, der har vist sig i dit liv. Tænk ikke over alt det, der ikke er blevet til noget, medmindre du håber på mere af det samme. Undgå at tale om din triste fortid. Lad være med at se dig selv som en person, hvis barndom eller tidlige voksenalder var karakteriseret af knaphed og kummerlige forhold. Se i stedet på hele din historie som en række skridt, du absolut var nødt til at tage for at nå frem til din nuværende erkendelse af dit uendelige potentiale for overflod.

# 1. SEPTEMBER

Når du er alt for involveret i det fysiske på bekostning af det spirituelle, lægger du stor vægt på at vinde og blive nummer et og sammenligner dig selv med andre. At være optaget af livets materielle aspekter fører til et overfladisk syn på livet, hvor fremtoningen anses for vigtigere end indholdet. Der er større vægt på, hvordan det ser ud, end hvordan det føles. Andres meninger bliver det afgørende mål for alt, ligesom det er vigtigere end noget andet, hvordan du lever op til de standarder, du påduttes udefra.

# 2. SEPTEMBER

At *give* er nøglen til tilgivelse.

# 3. SEPTEMBER

I enhver situation – hvad enten den udspiller sig i familien, på arbejdet eller i det sociale liv, eller det bare handler om at kigge på de grusomheder, der rapporteres i aftenens nyhedsudsendelser – bliver du klar over, at der ikke findes nogen „dem", der har magt over dig. Når du nægter at overlade kontrollen over dit liv til andre eller til en række givne omstændigheder, udviser du personlig styrke i stedet for magt. Du oplever i sandhed selvbeherskelse, fordi du har valgt at leve i overensstemmelse med tao. Du behøver ikke andres anerkendelse eller endnu flere ejendele for at være lykkelig. Du skal bare opfatte dig selv som en guddommelig del af den evige tao og altid være forbundet med dens uendelige essens.

# 4. SEPTEMBER

Din indre flamme, der symboliserer den, du er som menneske, må aldrig blafre. Din ydre flamme, der repræsenterer alt det, der kan overgå dig, har du ikke altid kontrol over. Storme kommer og går, der kan ske noget med din krop, og du kan komme ud for en ulykke ... alt er muligt. Men din indre flamme er din egen. Den er unik. Du skal nå et punkt, hvor den ikke blafrer, uanset hvad der sker udadtil.

# 5. SEPTEMBER

Alt er energi. Alting vibrerer i forskellige frekvenser. Jo hurtigere vibrationen er, jo tættere er man på ånden. Kuglepennen, jeg holder i hånden, ser ud til at være solid, men er reelt et felt af partikler i bevægelse, hvor der hovedsagelig er tomt rum imellem. Min kuglepens energivibration er langsom nok til, at den ser fast ud.

Jeg hører lydene fra beostærene, mens jeg skriver, og jeg ved fra fysikkens love, at lyde er en hurtigere energi end min solide kuglepen. Det lys, jeg ser strømme ind ad vinduet, er en endnu hurtigere energi med nogle ganske små partikler, der bevæger sig så hurtigt, at de ser grønne, blå eller gule ud, afhængigt af hvordan øjets stave og tappe påvirkes. Hinsides lysets frekvenser finder vi tankernes energivibrationer.

# 6. SEPTEMBER

Døden i den fysiske verden gør det muligt for dig at leve.

# 7. SEPTEMBER

Vores individuelle tanker skaber en prototype i det universelle sinds intention. Du og din evne til intention er ikke adskilte. Så når du former en tanke inden i dig, der stemmer overens med ånden, frembringer du en spirituel prototype, der forbinder dig med intention og sætter gang i manifesteringen af dine ønsker. Hvad som helst, du ønsker at udrette, er en eksisterende kendsgerning, der allerede findes i ånden. Udeluk alle tanker fra sindet, som knytter sig til betingelser og begrænsninger, samt muligheden for, at det, du ønsker, ikke manifesterer sig. Hvis det bliver efterladt uforstyrret både i dit sind og i intentionens sind, bliver det en spirende realitet i den fysiske verden.

# 8. SEPTEMBER

Dit ønske om at være og leve i storhed er et aspekt af din spirituelle energi. For at få balance i denne del af dit liv skal du bruge tankernes energi til at skabe harmoni i forhold til det, du ønsker. Din mentale energi tiltrækker det, du tænker på. Tanker, der hylder frustration, tiltrækker frustration. Hvis du siger eller tænker noget i retning af: *Jeg kan intet stille op. Mit liv er ude af kontrol, og jeg er fanget* – så er det det, du tiltrækker – altså modstand mod dine højeste ønsker! Hver eneste frustreret tanke er som at købe en billet til mere frustration. Alle de tanker, der bekræfter dig i, at du sidder fast, er en bøn til universet om at sende *endnu mere* lim til at *holde dig fast*.

# 9. SEPTEMBER

Dine mirakler er et indre arbejde. Søg indad for at skabe den magi, du ønsker i dit liv.

# 10. SEPTEMBER

Du har et inderligt kald i dig om at komme tilbage til ånden. Det arbejder i dit liv lige nu. Jeg beder dig indtrængende om at følge dette kald og lære den rene salighed, der venter dig, at kende, når du gør et inspireret liv til din virkelighed.

# 11. SEPTEMBER

Det vigtigste spørgsmål er måske dette: *Hvordan øn-sker du at blive set i denne verden*? Alle, der svarer, at de er ligeglade, prøver at leve med bind for øjnene – og det er uden tvivl en ret ubalanceret livsstil. Selvfølgelig går du op i det! I nogle tilfælde afhænger selve dit levevilkår af svaret på spørgsmålet. Du vil gerne relatere dig på en glad, livlig, intim, kærlig, hjælpsom, interesseret, omsorgsfuld og betænksom måde til andre. Det ligger i alle menneskelige relationers natur, at man ønsker at give og modtage disse følelser og føle sig forbundet med hinanden.

# 12. SEPTEMBER

Lad dit sind være åbent for alt og knyttet til intet.

# 13. SEPTEMBER

Find en lejlighed til at iagttage et lillebitte grønt skud, der spirer frem af et frø. Når det lykkes dig, skal du tillade dig selv at fornemme det underfulde i det, du ser. Situationen med det spirende skud svarer til livets begyndelse. Ingen på denne jord har den ringeste anelse om, hvordan alt dette kommer i stand. For hvad er det for en kreativ gnist, der får livet til at spire? Og hvad skabte mon iagttageren, bevidstheden, iagttagelsen og opfattelsen af det? Spørgsmålene er uden ende.

# 14. SEPTEMBER

Positive tanker holder dig i harmoni med universet.

# 15. SEPTEMBER

Den musik, du hører i dit indre, som vil have dig til at tage chancer og forfølge dine drømme, er din intuitive kontakt til det livsmål, du har båret i dit hjerte fra fødslen. Vær begejstret for alt, du *gør*. Bevar denne lidenskab med bevidstheden om, at *entusiasme* bogstavelig talt betyder: „Som har guden i sig (*en theos*)". Den lidenskab, du føler, er Gud i dig, der lokker dig til at løbe den risiko at være dig selv.

# 16. SEPTEMBER

Et fredeligt sind, der er fokuseret på ikke at skade andre, er stærkere end nogen fysisk kraft i universet.

# 17. SEPTEMBER

Mange mennesker mangler viljen og evnen til at leve helt i nuet. Tænk ikke på desserten, mens du indtager forretten. Læg mærke til, hvor du har dine tanker, mens du læser en bog. Er du på ferie, så vær der i stedet for at tænke på, hvad du ikke fik gjort, og hvad du skal gøre, når du kommer hjem. Lad ikke det flygtige øjeblik blive ædt op af tanker, der ikke er til stede i nuet.

# 18. SEPTEMBER

Vælg et tidspunkt i dag, måske mellem klokken 12 og klokken 16 i eftermiddag, hvor du bevidst sætter sindet fri fra at skulle kontrollere begivenhederne i dit liv. Gå en tur, og lad dig blive ført af sted. Sæt fødderne, hvor de har lyst. Iagttag alt i dit synsfelt. Læg mærke til åndedrættet, lydene, du hører, vinden, skyformationerne, fugtigheden, temperaturen – alt. Ånd det hele ind, og følg med, og mærk, hvordan det opleves bare at flyde med strømmen. Vælg nu at lade friheden være din vejviser. Erkend, at trafikken, menneskene i dit liv, børsen, vejret, tidevandet ... alt dette forløber i sit eget tempo og på sin egen måde. Du kan også bevæge dig med den evige og fuldkomne tao. *Vær det ... nu.*

# 19. SEPTEMBER

Ud af den udelelige stilhed flyder skabelsen, og det
er her, vi alle kan få direkte kontakt til vores værens
kilde.

# 20. SEPTEMBER

Tanker og følelser er ren energi. Nogle er højere og hurtigere end andre. Når højere energier er i samme felt som lavere energier, omdannes de lavere energier til højere energier. Et enkelt eksempel på dette er et mørkt rum, der har en lavere energi end et rum, der er badet i lys. Eftersom lys bevæger sig hurtigere end ikkelys, opløses og forsvinder mørket ikke alene, når man bærer et stearinlys ind i et mørkt rum, men det synes på magisk vis faktisk forvandlet til lys. Det samme gælder kærlighed, der som energi er højere og hurtigere end hadets energi.

# 21. SEPTEMBER

Hvis du ønsker spirituel bevidsthed, er du nødt til at være mere i harmoni med din spirituelle kilde. Det er kilden til kærlighed, venlighed, glæde, skønhed, accept, kreativitet og uendeligt overskud. Hvis du mener, at du udtrykker alle disse kvaliteter i din person, mens alle andre ser dig i et helt andet lys, lever du formentlig i en illusion og vil fortsat være i en ubalanceret tilstand.

# 22. SEPTEMBER

Træf et bevidst valg om at tilbringe mere tid sammen med de mennesker, du er tættest forbundet med i ånden. Det sker ved at opsøge „mennesker med en højere vibration" og undgå dem med et mere egoistisk adfærdsmønster. Husk, at højere spirituelle energier opløser dine lavere tilbøjeligheder og samtidig tuner dig ind på mere spirituelle frekvenser. Brug din egen indre fornemmelse til at afgøre, om du er det rigtige sted og sammen med de rigtige mennesker. Hvis du trives i deres selskab – og således bliver inspireret til at være et bedre og lykkeligere menneske – er de rigtige for dig. Hvis du omvendt bliver mere anspændt, nedtrykt og uinspireret, og du har travlt med at komme væk på grund af konflikter, vil de ikke være nogen inspirationskilde for dig.

# 23. SEPTEMBER

Det er ikke nødvendigvis usundt at have en plan, men at forelske sig i den er en sand neurose. Lad ikke planen blive større end dig.

# 24. SEPTEMBER

I takt med at du integrerer hele dig selv og samler de enkelte dele til den enhed, der er dig, vil du opdage, hvor umuligt det er for dig at være adskilt fra noget andet her på jorden. Bare forståelsen af, hvordan udbrud af vrede eller irritation er en mulighed for at kende sig selv bedre og tilgive og elske sig selv, udvider din bevidsthed om den enhed, du er. Hvis du praktiserer denne form for enhed, vil kærligheden naturligt strømme ud og omfatte andre, som du før har fordømt.

# 25. SEPTEMBER

Alle fald rummer muligheden for at flytte os til et højere sted. Det kan være nødvendigt at blive tvunget ned i støvet i sjælens mørke nat, så vi kan gøre os fri af det veletablerede egos greb. Taos ide om, at der „skjult i al modgang gemmer sig medgang", synes at underbygge værdien af de situationer i livet, hvor vi oplever et fald. Uden denne bestemte modgang var en heldig skæbne ikke mulig.

# 26. SEPTEMBER

I virkeligheden er det meget lettere ikke at ryge eller spise chokolade end at gøre det. Det er sindet, der overbeviser dig om det modsatte.

# 27. SEPTEMBER

Begynd med at opfatte verden som et gigantisk spejl, der spejler dig tilbage, præcis som du er. Hvis du virkelig er et kærligt menneske, vil du se verden som et kærligt sted, og sådan vil du også blive opfattet. Du har genoprettet balancen, og derfor er der ingen uoverensstemmelse mellem dit syn på dig selv og det, verden spejler tilbage til dig. Hvis verden fortsætter med at se ukærlig og ubeboelig ud, vil jeg opfordre dig til at undersøge, hvilken form for energi du projicerer ud.

# 28. SEPTEMBER

Bhagavadgita fortæller os: „Vi fødes ind i naturens verden. Derpå fødes vi for anden gang ind i åndens verden." At tæmme egoets indflydelse er begyndelsen på denne anden fødsel. Når vi tæmmer egoet, får vi støtte og hjælp af den ånd, vi er opstået af, og vi begynder at se, hvordan der viser sig synkroniciteter i livet. Mennesker, vi har brug for, dukker op. Omstændigheder føjer sig på en måde, der hjælper os på vores dharma-vej. En finansiering, der ikke tidligere var mulig, kommer inden for rækkevidde, og så videre.

# 29. SEPTEMBER

Bevidstheden om taos allestedsnærvær betyder, at tanker om knaphed og mangel ikke dominerer billedet. Man opretholder ikke forestillinger som: „Det lykkes aldrig", „det sker ikke for mig" eller „med mit held går det aldrig". I stedet begynder du at forvente, at det, du håber på, ikke alene er på vej – det er her allerede! Denne nye selvopfattelse, der bygger på den usynlige taos nærvær og samarbejde, opløfter dig til at leve et inspireret liv. Et liv, hvor du er i ånden eller i ubrudt kontakt med tao. Når du lever helt uden grænser, er belønningen en følelse af fredfyldt glæde, fordi du ved, at alt er i orden.

# 30. SEPTEMBER

Jeg afskyr tanken om „fiasko". Jeg har aldrig nogensinde ønsket for nogen af mine børn, at de skulle opfatte sig selv som en fiasko i nogen sammenhæng. Tværtimod har de ved utallige lejligheder hørt mig sige: „Der er ingen fiasko, kun erfaringer. Der kommer noget ud af alt, hvad du gør. Det eneste, der ligger mig på sinde, er, hvad du gør med de resultater, du opnår – i stedet for at kalde dig selv for en fiasko og så skulle leve med den betegnelse."

# 1. OKTOBER

Hvordan kan man være pessimist i en verden, hvor vi ved så lidt? Et hjerte begynder at banke i livmoderen nogle få uger efter undfangelsen, og det er et totalt mysterie for alle på kloden. I sammenligning med alt det, der er at vide, er vi kun fostre. Tænk på det, når du møder mennesker, der er helt sikre på, at der kun findes en måde at gøre noget på.

# 2. OKTOBER

Hvis du bebrejder andre din ulykke, betyder det, at du er nødt til at vente på, at dem, du bebrejder, skal forandre sig, før du kan opleve lykke. Og det er selvfølgelig en tåbelig strategi. Det er det modsatte af selvstændighed.

# 3. OKTOBER

Hvis man er afhængig af at få ret, bringer det lidelse. Når du kan vælge mellem at have ret eller være venlig, bør du vælge venligheden og se, hvordan din lidelse forsvinder.

# 4. OKTOBER

I Østen fordyber man sig i synet af skoven, i Vesten tæller man træerne.

# 5. OKTOBER

I hver eneste situation, hvor mennesker oplever en spontan helbredelse eller overvinder noget, der efter sigende var umuligt, går personen gennem en total personlighedsforvandling. Disse mennesker omskriver faktisk deres egen overenskomst med virkeligheden. Man er nødt til at have en følelse af sig selv som guddommelig for at opleve guddommelige og spontane mirakler. Bibelen siger: „For Gud er alting muligt." Fortæl mig nu, hvad det udelukker?

# 6. OKTOBER

Din indre og ydre udformning er i perfekt balance med alt i universet.

# 7. OKTOBER

Hvis du skal slippe en tilknytning, er du nødt til at ændre den måde, du ser dig selv på. Hvis du primært identificerer dig med kroppen og dine ejendele, er egoet den styrende kraft i dit liv. Men hvis du kan tæmme egoet tilstrækkeligt, kan du bede ånden om at være den vejledende kraft i dit liv. Som et spirituelt væsen kan du iagttage kroppen og være et medfølende vidne til din eksistens. Dit spirituelle aspekt ser det tåbelige i tilknytninger, fordi det er en uendelig sjæl.

# 8. OKTOBER

Et åbent sind giver dig mulighed for at udforske, skabe og vokse. Et lukket sind blokerer alle kreative forklaringer. Husk, at fremskridt er umulige, hvis vi altid gør ting på samme måde. Evnen til at få del i mirakler – sande mirakler i dit liv – opstår, når du åbner sindet for dit uendelige potentiale. Giv ikke dig selv lov til at have lave forventninger til, hvad du er i stand til at skabe. Den største fare ligger ikke i at have forhåbninger, der er for høje til, at du kan indfri dem – faren ligger i, at de er for lave, og at du *faktisk* indfrier dem.

# 9. OKTOBER

Sæt tempoet ned ... Giv dig tid ... Dit arbejde er ikke uendelig vigtigt. Dine verdslige pligter er ikke uendelig vigtige. Gør det til din første og primære prioritet her i livet at *være i balance med Skabelsens kilde*. Bliv eftertænksom i det langsommere tempo, og inviter det guddommelige til at vise sig i dit liv. Du bliver den fred, du søger, ved at være et afslappet menneske, hvis balancepunkt ikke tiltrækker angst og stresssymptomer.

# 10. OKTOBER

Det kan godt være, du lever et bekvemt liv, når du ikke følger dine instinkter. Du betaler dine regninger, udfylder alle de rigtige blanketter og lever et liv, hvor du tilpasser dig og gør tingene efter bogen. Men det er en anden, der har skrevet bogen. Du mærker den nagende fornemmelse, der hvisker dig i øret: „Det her ser rigtigt ud, men føles det rigtigt? Gør du det, du kom her for at gøre?"

# 11. OKTOBER

Forskellen mellem at være ulykkelig og være et ube-
grænset menneske ligger ikke i, om du har problemer
eller ej. Alle mennesker på denne jord har problemer,
de er nødt til at forholde sig til i det daglige. Men et
fuldt fungerende menneske har en anden holdning til
sine problemer. Det ubegrænsede menneske ser mu-
ligheder for vækst i alle situationer og forholder sig
ikke til problemet, som om det burde være noget an-
det. Det går med andre ord ikke ud i regnen og siger:
„Det burde ikke regne. Hvorfor regner det? Det skulle
ikke regne. Vi er i marts – de lovede mig, at det ikke
ville regne i marts. Det er ikke i orden. Det regnede
ikke sidste marts."

# 12. OKTOBER

Det er vigtigt, at du lever mere spontant. Du behøver ikke at have styr på alle detaljer i dit liv. Hvis du forstår det, vil du kunne rejse uden at være afhængig af en plan, der dækker alle mulige scenarier. Dit indre lys er mere pålideligt end nogen rejsefører, og det vil vise dig i den retning, der er mest gavnlig for dig og alle, du møder.

# 13. OKTOBER

Grib dig selv i enhver ytring, der afspejler tro på, at du er gennemsnitlig. Tag en indre snak med denne forestilling, og spørg den, hvad den vil. Måske tror den, at den er nødt til at beskytte dig mod skuffelse eller smerte, og det har den sikkert gjort tidligere i dit liv. Men vedvarende anerkendende opmærksomhed vil altid få følelsen til at indrømme, at den gerne vil føle overskud. Så lad den gøre det! Du fortjener at overvinde de forbigående skuffelser og lidelser, der er en del af livet her på jorden, men at prøve på at beskytte dig selv ved at tro på, at du ikke rummer storhed, er for ekstremt.

# 14. OKTOBER

Det her kommer måske som en overraskelse for dig, men fiasko er en illusion. Der er ingen, for hvem noget nogensinde mislykkes. Hvis du prøver at lære, hvordan du skal gribe en håndbold, og en eller anden kaster den til dig, og du taber den, har du ikke fejlet. Du har bare opnået et resultat. Men det virkelige spørgsmål er, hvad du gør med de resultater, du opnår. Trækker du dig og jamrer over, at du er elendig til håndbold, eller siger du: „Kast den igen,“ indtil du til sidst griber håndbolden? Fiasko er en vurdering. Det er bare en mening. Den kommer af din frygt og kan fjernes med kærlighed. Kærlighed til dig selv. Kærlighed til det, du gør. Kærlighed til andre. Kærlighed til jorden. Hvis du har kærlighed i dig, kan frygten ikke overleve. Tænk over budskabet i disse gamle visdomsord: „Frygten bankede på døren. Kærligheden åbnede, og der var ingen.“

# 15. OKTOBER

Der findes et kinesisk ordsprog: „Hvis du er ude efter hævn, må du hellere grave *to* grave." Dit nag ødelægger dig selv.

# 16. OKTOBER

Lov dig selv, at du vil gøre det, du elsker, og elske det, du gør – allerede i dag!

# 17. OKTOBER

Jeg vil gerne fortælle dig en dyb hemmelighed, jeg har lært af en af mine mest indflydelsesrige lærere: *Du lærer først Gud virkelig at kende, når du i sindet opgiver fortiden og fremtiden og glider helt sammen med nuet, for Gud er altid her lige nu.*

# 18. OKTOBER

Tag bogstaverne, der danner ordet *listen* (lytte), og byt om på dem, så de i stedet danner ordet *silent* (stille): *listen/silent* – *listen/silent* – det samme indhold bare arrangeret sådan, at ordene ser forskellige ud. Når du lytter, mærker du stilheden. Når du er stille, vil du opdage et nyt niveau af det at lytte.

# 19. OKTOBER

Tænk på det, du gerne vil være – kunstner, musiker, computerprogrammør, tandlæge eller noget femte. I tankerne begynder du at se for dig, hvordan du har evnerne til at gøre dette. Ingen tvivl. Kun en forvisning. Begynd så at handle, som om de ting allerede var virkelige for dig. Som kunstner giver din vision dig lov til at tegne, besøge kunstmuseer, tale med berømte kunstnere og fordybe dig i kunstens verden. Du begynder med andre ord at *handle* som en kunstner i alle livets aspekter. På den måde kaster du dig ud i det og styrer selv din skæbne samtidig med, at du får inspiration.

# 20. OKTOBER

Erklær dig selv for et geni og en ekspert, der lever i en atmosfære af overskud, og fasthold denne vision så lidenskabeligt, at du ikke kan gøre andet end at handle på baggrund af den. Når du gør det, udsender du en tiltrækningsenergi, der vil arbejde sammen med dig om at gøre dine handlinger ud fra disse erklæringer til konkret virkelighed.

Forhold dig til alle, du møder, med samme intention. Fremhæv de andres fineste egenskaber. Behandl alle på denne „som om"-måde, så garanterer jeg dig, at de responderer i overensstemmelse med dine højeste forventninger. Det er helt op til dig selv. Hvad enten du tror, det er muligt eller ej, får du ret i begge tilfælde. Og du vil se, hvordan dine tankers evne til at få ret viser sig overalt, hvor du sætter dine fødder.

# 21. OKTOBER

Jeg har glæde af at opfatte mit sind som en dam. Dammens overflade svarer til min mentale pludren. Forstyrrelserne findes her. Her er der storme, affald, frost og tø. Men under dammens overflade er der relativt stille. Her er der roligt og fredfyldt. Hvis det er sandt, som nogle mener, at vi har omkring 60.000 enkelte og tit usammenhængende tanker hver dag, er vores sind som en dam fuld af skumtoppe fra en frisk brise. Men under denne overfladiske pludren findes det rum, hvor vi kan erfare Gud og opnå en ubegrænset magt ved at blive genforenet med kilden.

# 22. OKTOBER

*Jeg er, hvad jeg gør.*
*Jeg er, hvad jeg har.*
*Jeg er adskilt fra Gud.*
*Jeg er, hvad andre tænker om mig.*
*Jeg er adskilt fra alt andet.*
*Jeg er adskilt fra det, der mangler i mit liv.*

Nogle gange har vi i vores liv identificeret os med en variant af disse seks overbevisninger. Den fysiske krop blev et middel til at identificere os som forskellig fra andre. Ejendele, præstationer og omdømme blev vores visitkort. Ting, vi troede, vi manglede, blev vores mål. Dette aspekt af os selv er det, jeg kalder for *egoet*. Vi er nødt til at tæmme egoet, så vi kan genvinde vores altomfattende kraftkilde.

# 23. OKTOBER

Vi har alle vores oprindelse i den samme kilde af gud-
dommelig kærlighed. Når vi vokser og modnes, får vi
alle et frit valg til enten at forblive forbundet med kil-
den eller at fortrænge Gud og leve ud fra vores falske
selv eller egoets krav og tilbøjeligheder.

# 24. OKTOBER

Det vanskeligst tilgængelige sted, et menneske kan trænge ind, er formentlig tomrummet mellem vores tanker. Som regel opholder vi os i den ene tanke, til den næste tager over, hvilket næsten ikke efterlader noget tomrum. Rummet mellem tankerne er snævert, og der er sjældent nogen, der overvejer, hvordan det ville være at have færre tanker, eller hvad man kunne finde i tomrummet mellem dem. Men paradokset er indlysende. At tænke over, hvordan det ville være at opholde sig i tomrummet mellem vores tanker ... er bare endnu en tanke. I stedet for at udvide rummet mellem dem, går vi videre til flere tanker. Så hvorfor overhovedet overveje at trænge ind i det utilgænge- lige tomrum? Fordi alt kommer ud af tomrummet.

# 25. OKTOBER

Det 31. vers i Dao De Jing siger udtrykkeligt, at enhver brug af vold tjener det onde. Lao Zi vidste tydeligvis, at våben, der er skabt til at dræbe, er nytteløse redskaber, som man skal undgå, hvis man vil leve efter principperne i tao. Tao handler om liv, mens våben handler om død. Tao er en skabende kraft, og våben bruges til ødelæggelse.

Der er ingen sejr i nogen aktivitet, hvor der dræbes. Hvorfor? Fordi alle mennesker – uanset geografisk placering eller trossystem – er forbundet med hinanden gennem den ånd, de er opstået af. Vi kommer alle fra tao, bevarer tao og vender tilbage til tao. Når vi tilintetgør hinanden, ødelægger vi vores mulighed for at lade tao *vejlede* os og flyde frit ind og ud af den form, vi befinder os i.

# 26. OKTOBER

Der er mange muligheder for at komme ind i stilhe-
den. Jeg prøver at meditere, hver gang jeg stopper for
rødt lys. Når bilen er standset, og kroppen er inaktiv,
er det eneste, der stadig bevæger sig, ofte tankerne
i sindet. Jeg bruger de to minutter eller deromkring
ved lyskurven til at bringe sindet i harmoni med min
stillestående bil og krop. Og jeg opnår en vidunder-
lig bonus i form af stilhed. Jeg stopper formentlig for
rødt mellem 20 og 30 gange om dagen, hvilket giver
fra 40 minutter til en times stilhed. Og der er altid en
bag mig, der lader mig vide, at tiden er gået, ved at
bryde stilheden med et dyt!

# 27. OKTOBER

Du praktiserer tilgivelse af to grunde: (1) for at lade andre vide, at du ikke længere ønsker at være fjendtlig over for dem, og (2) for at befri dig selv for den selvødelæggende energi i vreden. Vreden er som en gift, der bliver ved med at flyde gennem dit system og afsætte sine giftvirkninger, længe efter at du blev bidt af slangen. Det er ikke biddet, der dræber dig, men giften. Du kan fjerne giften ved at beslutte at slippe vreden. Send kærlighed i en eller anden form til dem, du føler har krænket dig, og læg mærke til, hvor meget bedre du får det – og hvor meget mere fred du har. Det var en dyb tilgivelse af min egen far, som jeg aldrig har set eller talt med, der forvandlede mit liv fra et liv i almindelig bevidsthed til et liv i højere bevidsthed med bedrifter og succes, der rakte ud over alt, jeg nogensinde havde turdet at drømme om.

# 28. OKTOBER

*Der er intet sted, hvor Gud ikke er.* Mind dig selv om det hver eneste dag. Det er blevet sagt, at Gud sover i mineralerne, hviler i planterne, går i dyrene og tænker i os. Tænk på Gud som et nærvær snarere end en person – en tilstedeværelse, der får frøet til at spire, der bevæger stjernerne hen over himlen og samtidig lader en tanke gå gennem dit sind. En tilstedeværelse, der får græsset og dine fingernegle til at vokse ... på samme tid. Denne tilstedeværelse er overalt, og derfor må den også være i *dig*!

# 29. OKTOBER

Bliv en, „der kender sandheden", ved at glemme låse,
kæder, kort og planer, sådan som Lao Zi råder os til.
Rejs uden at efterlade dig spor, hav tillid til den god-
hed, der ligger til grund for alt, og ræk ud med det in-
dre lys i stedet for at bande over det mørke, der virker
så altoverskyggende, og lad dette lys skinne på dem,
der ikke ser deres egen oprindelse i tao.

# 30. OKTOBER

Jeg har stået i mange vanskelige situationer, der syntes at være lige det modsatte af, hvad jeg forsøgte at manifestere. Ikke desto mindre har jeg fået tillid til, at de altid fremmer det gode. Det, der engang virkede katastrofalt, kan nu ses som en guddommelig velsignelse. Det er ikke din opgave at bestemme *hvordan* eller *hvornår*, men at sige *ja*. Og når du har sagt *ja*, skal du forholde dig iagttagende og takke for alt. Hver gang jeg samler en mønt op fra gaden, ser jeg den som et symbol på den overflod, Gud sender ind i mit liv, og jeg føler taknemmelighed. Jeg siger altid: „Tak, Gud, for alt." Og spørger aldrig: „Hvorfor kun en krone?"

# 31. OKTOBER

Alt det, du er modstander af lige nu, blokerer din adgang til overflod.

# 1. NOVEMBER

*Søg ikke efter dit formål. Vær det!*

# 2. NOVEMBER

For at aktivere de kreative kræfter, der ligger latent i dit liv, skal du forholde dig til den usynlige verden – den verden, der rækker ud over din form. Her skabes alt det, der ikke eksisterer for dig i din verden af form. Du kan opfatte det på denne måde: Gennem formen modtager du information. Men når du forholder dig til ånden, får du inspiration. Det er denne inspirerende virkelighed, der leder dig frem til at realisere alt, hvad du måtte ønske dig i dit liv.

# 3. NOVEMBER

Alt, du ønsker at manifestere, kommer ud af ånden og stilheden. Du bruger ikke dit ego til at manifestere. Faktisk kan det hæmme den kreative proces. Af den grund opfordrer jeg dig til ikke at afsløre dine personlige indsigter og det, du har til hensigt at skabe … Når du taler om de ideer, du er ved at manifestere, og formidler dine indsigter til andre, føler du ofte et behov for at forklare og forsvare dem. Der sker det, at egoet blander sig. Og når egoet først kommer på banen, stopper manifesteringen.

# 4. NOVEMBER

Jeg tilbragte engang en eftermiddag med at svømme med delfiner på den mexicanske riviera. Jeg havde aldrig gjort noget lignende før i mit liv. Men i stedet for at sige til mig selv, at jeg ikke kunne tage på sådan en udflugt, fordi *det aldrig var sket før*, vendte jeg argumentet om og tænkte tværtimod, at *da jeg netop aldrig havde gjort det før, ville jeg føje det til mit repertoire og have denne enestående oplevelse netop nu*. Og det var helt utroligt!

Begynd at tænke på denne nye måde i forhold til alt det, du „aldrig har gjort" før. Vær åben for muligheder, der fører dig til en ny måde at være til på, hvor du skaber rigdom, sundhed og lykke i nuet.

# 5. NOVEMBER

Bliv et menneske, der nægter at lade sig fornærme af nogen eller noget eller under nogen omstændigheder. Hvis der sker noget, du ikke bryder dig om, så sig endelig din mening om det, og lad det komme lige fra hjertet. Hvis muligt, arbejd på at eliminere det, og slip det så. De fleste mennesker lader sig styre af egoet og har en frygtelig trang til at få ret. Så når du møder nogen, der siger noget, du synes er upassende, eller hvis du ved, at de er helt forkert på den, så glem dit behov for at få ret, og sig i stedet: „Du har helt ret i det!" De ord lægger låg på en mulig konflikt og skåner dig for at blive fornærmet. Du ønsker at have fred – ikke at have ret og blive såret, vred eller bitter. Hvis du tror nok på dine egne overbevisninger, opdager du, at det er umuligt at blive fornærmet over andres meninger og opførsel.

# 6. NOVEMBER

Udfør venlige handlinger anonymt, og forvent intet til gengæld – ikke engang tak. Den universelle og alt-skabende ånd responderer på venlige handlinger ved at spørge: *Hvordan kan jeg være venlig over for dig?*

# 7. NOVEMBER

Jeg tillægger ordet *inspiration* følgende betydning: „At være i-ånden." Når vi er i-ånden, er vi inspirerede ... og når vi er inspirerede, skyldes det, at vi igen er i-ånden og er helt vågne i forhold til ånden i os. At være inspireret er en glædelig oplevelse. Vi føler os fuldstændig forbundet med kilden, helt bestemt af vores formål, vores kreative impulser strømmer, og vi har et usædvanlig højt energiniveau i hverdagen. Vi dømmer ikke andre eller os selv. Vi er ukritiske og uanfægtede, når det gælder adfærd eller holdninger, der virker frustrerende i uinspirerede øjeblikke. Hjertet synger i glæde over hvert et åndedrag, og vi er tolerante, fornøjede og kærlige.

# 8. NOVEMBER

Tro på synkronicitet. Vær ikke overrasket, når en, du har tænkt på, ringer til dig ud af det blå, når den perfekte bog dukker uventet op med posten, eller når pengene til at finansiere et projekt på mystisk vis er til rådighed.

# 9. NOVEMBER

Opfat de vedholdende tanker, der ikke er til at komme af med, som intentionen, der taler til dig og siger: „Du har påtaget dig at udtrykke dine enestående evner, så hvorfor bliver du ved med at ignorere dem?"

# 10. NOVEMBER

I stedet for at tale på en måde, der antyder, at dine ønsker måske ikke vil gå i opfyldelse, så tal ud fra en indre overbevisning, der udtrykker en dyb og enkel viden om, at den universelle kilde forsyner os med alt.

## 11. NOVEMBER

Begynd at lægge mærke til frekvensen i alle de tanker, der støtter forestillingen om, at sygdom er noget, man må forvente – og rens sindet for dem.

# 12. NOVEMBER

Hvis motivation er at gribe en ide og føre den ud i livet på en acceptabel måde, er inspiration lige det modsatte. Når vi gribes af inspirationen, slår en ide ned i os fra åndens usynlige virkelighed. Det, der synes at komme langt borte fra og gør, at vi giver os selv lov til at blive bevæget af en kraft, der er stærkere end egoet og alle dets illusioner, er inspiration. Og væren i-ånden er det sted, hvor vi får kontakt med den usynlige virkelighed, der ultimativt styrer os mod vores kald. Tit kan vi kende de inspirerede øjeblikke på deres insisteren – og fordi de tilsyneladende ikke giver nogen mening, men samtidig bliver ved med at dukke op i bevidstheden.

# 13. NOVEMBER

Brug ikke mental energi på andres mening om, hvordan du burde leve dit liv. Det kan være svært at praktisere i begyndelsen, men du bliver glad for skiftet, når det sker.

# 14. NOVEMBER

Når du udelukker enhver tvivl og tænker ubegrænset, skaber du rum for, at intentionens kraft kan flyde gennem dig.

# 15. NOVEMBER

Du er Guds guddommelige skabning. Du kan aldrig
være adskilt fra det, der skabte dig. Hvis du opfatter
Gud som havet og dig selv som en beholder, kan det
gavne dig, når du tvivler, føler dig fortabt eller alene,
at huske på, at du rummer Gud. Når du dypper dit
glas i havet, har du et glas fyldt med Gud. Det er ikke
lige så stort eller mægtigt, men det er stadig Gud. Så
længe du nægter at opfatte det anderledes, vil du ikke
føle dig adskilt fra Gud.

# 16. NOVEMBER

Hvis du har brug for at finde lys, er mørket noget, du af gode grunde prøver at undgå. Du ved med sikkerhed, at det at eftersøge mørke steder og famle blindt rundt i mørket ikke er vejen til at opdage og opleve lyset. Erstat nu ordene *lys* og *mørke* i dette eksempel med ordene *overflod* og *mangel*. Den samme logik gælder stadig. Du finder ikke overflod ved at eftersøge og svælge uhæmmet i mangeltænkning. Men det er tit det, der skaber modsætningen mellem dit ønske om velstand og manglen på den i dit liv.

# 17. NOVEMBER

Hvis du kun lytter til din venstre hjernehalvdel, bliver du til sidst en tom skal – eller endnu værre – en pendler. Du står op hver morgen og følger flokken. Du udfører det arbejde, der skaffer pengene, og betaler regningerne. Og du står op igen næste morgen og gør det hele igen, som det beskrives i en kendt sang. I mellemtiden dæmpes din indre musik til et niveau, hvor den er næsten uhørlig. Men din faste og usynlige ledsager hører musikken hele tiden og bliver ved med at prikke dig på skulderen. Forsøgene på at fange din opmærksomhed kan vise sig som et kronisk sår eller en ild, der vil brænde din modstand til aske. Du kan også blive fyret fra et udmattende arbejde eller blive tvunget i knæ af en ulykke. Som regel fanger disse ulykker, sygdomme og forskellige former for modgang til sidst din opmærksomhed. Men ikke altid. Nogle mennesker ender som Tolstojs romanfigur Ivan Iljitj, der fortvivlede på sit dødsleje og sagde: „Hvad nu, hvis hele mit liv har været forkert?" En ubehagelig scene, må jeg sige.

# 18. NOVEMBER

Mærk gennemstrømningen af livskraft, der gør, at du kan tænke, sove, bevæge dig, fordøje og endda meditere. Kraften i din intention påvirkes af, hvor meget du påskønner den.

# 19. NOVEMBER

Stilhed er den ene oplevelse, du kan have, der er ude-
lelig. Hvis du deler stilheden i to, står du bare tilbage
med mere stilhed. Der er kun en stilhed. Derfor er
stilheden din eneste måde at opleve Guds enhed og
udelelighed på. Det er årsagen til, at du gerne vil me-
ditere. På den måde kan du *erfare Gud* i stedet for at
nøjes med at *vide noget om Gud*.

# 20. NOVEMBER

Hvis du hele tiden ser andre som uærlige, dovne, syndige og uvidende, kan det være en måde at dække over noget, du frygter.

# 21. NOVEMBER

Måske frygter du at få succes. Du kan være blevet vant til at tro, at du er utilstrækkelig eller begrænset. Den eneste måde at udfordre disse absurditeter på er ved at bevæge dig i retning af det, du ved, du er her for – og lade succesen indhente dig, hvilket den helt sikkert vil gøre.

# 22. NOVEMBER

Vi må gøre en indsats for at finde ind i den fredfyldte intethed, mens vi stadig er i kroppen. Vi kan tømme vores lommer eller pung, men vi har særlig brug for at tømme *sindet* og nyde glæden ved at leve i den fysiske verden samtidig med, at vi oplever intethedens salighed. Det er vores oprindelse, ligesom det helt sikkert også er vores endelige bestemmelsessted.

# 23. NOVEMBER

Træk dig ubemærket tilbage fra højlydte, kampivrige og påståelige mennesker. Send dem en stille velsignelse, og gå videre uden at vække opsigt.

# 24. NOVEMBER

Sindet er et kraftigt sundhedsfremmende redskab. Det giver kroppen besked om at producere de stoffer, den behøver, for at holde dig sund og rask. Giv nogen en sukkerpille, og overbevis vedkommende om, at det er medicin mod gigt. Personens krop vil reagere på placeboen med en øget produktion af energier mod gigt.

Dit sind kan også fremtrylle guddommelige forhold, overflod, harmoni i din virksomhed – og selv parkeringspladser! Hvis dine tanker er fokuseret på det, du ønsker at tiltrække i livet – og du opretholder tanken med den absolutte intentions lidenskab – vil du før eller senere handle ud fra den, fordi der ligger en tanke til grund for hver eneste handling.

# 25. NOVEMBER

Når du er storsindet nok til at indstille konflikten med dine såkaldte fjender, vil du respektere dig selv meget mere, end før du begyndte at tilgive.

☾

# 26. NOVEMBER

Hvis du i alle dine relationer kan elske andre nok til, at du lader dem være præcis det, de ønsker at være – uden forventning eller tilknytning fra din side – vil du opleve sand fred i dette liv. Sand kærlighed betyder, at du elsker de andre som *sig selv* og ikke som dem, du synes, de *skal være*. Det er et åbent sind – uden tilknytning.

# 27. NOVEMBER

Vælg at opfatte døden som den simple handling at tage tøj af og på eller gå fra et rum til et andet – det er bare en overgang.

## 28. NOVEMBER

Find altid noget at påskønne – hvad enten det er den stjerneklare nats skønhed, en frø på et åkandeblad, et leende barn eller det gamle menneskes naturlige udstråling og glans.

## 29. NOVEMBER

Et af de mest effektive midler til at sætte sig ud over det *ordinære* og bevæge sig ind i den *ekstraordinære* virkelighed er at sige *ja* oftere og stort set eliminere brugen af ordet *nej*. Dybest set handler det om at *sige ja til livet*.

☾

# 30. NOVEMBER

Du kan ikke rette op på noget ved at fordømme det.
Du bidrager bare til den destruktive energi, der i forvejen gennemsyrer atmosfæren i dit liv.

# I. DECEMBER

Når du har accepteret din evne til at helbrede dig selv og optimere dit helbred, bliver du et menneske, der også kan helbrede andre.

# 2. DECEMBER

Det er i virkeligheden det rum, der er mellem tonerne, som skaber den musik, du holder så meget af. Uden disse tomrum ville du bare have en ubrudt og støjende tone. Alt, der skabes, kommer ud af stilheden. Dine tanker dukker op af intethedens stilhed. Dine ord kommer ud af dette tomrum. Ja, selve dit væsen er udsprunget af tomheden. Dem, der kommer efter os, venter i dette enorme tomrum. Al kreativitet forudsætter en eller anden form for stilhed. Din følelse af indre fred beror på, om du bruger noget af din livsenergi på at genoplade dit batteri i stilhed, fjerne spændinger og uro, genopleve glæden ved at erfare Gud og føle dig tættere på hele menneskeheden. Stilheden mindsker den dybe træthed og gør det muligt for dig at opleve dine egne kreative energier.

# 3. DECEMBER

Det siges, at det er afstanden mellem tremmerne, der holder tigeren tilbage, ligesom det er stilheden mellem tonerne, der skaber musikken. Alting skabes ud af stilheden eller „åbningen" eller rummet mellem tankerne – også vores egen salighed.

# 4. DECEMBER

Fordyb dig i film, tv-programmer, skuespil og indspil-
ninger fremført af mennesker og organisationer, der
lever i harmoni med ånden. Blot det at høre foredrag
med store spirituelle lærere øger dit daglige inspirati-
onsniveau. Læg også mærke til, hvordan du har det,
når du ser eksplosioner og jagtscener i film, der uund-
gåeligt fører til en overeksponering af vold, had og
drab. Tjek dig selv i situationen. Føler du dig tættere
på ånden eller længere og længere væk fra den? Brug
din egen intuition til at minde dig selv om, hvornår
det er tid til at skifte kanal eller gå ud af biografen.

## 5. DECEMBER

Når du bliver lammet af, hvad en anden tænker om dig, svarer det til at sige: „Din mening om mig er vigtigere end min mening om mig selv."

☾

# 6. DECEMBER

Hvis vi ignorerer inspirationens utrolige tiltræk-
ningskraft, er resultatet et personligt ubehag eller
en følelse af at være adskilt fra sig selv. Der kan være
mange grunde til, at vi måske oplever modstand,
når vi føler os kaldet til at skabe, præstere, besøge et
fremmed sted, møde nogen, udtrykke os, hjælpe en
anden eller tjene en eller anden sag. Inspirationen er
en opfordring til at gå videre, også selv om vi er usikre
på målene eller resultaterne – den kan endda insiste-
re på, at vi bevæger os ud i et ukendt territorium.

# 7. DECEMBER

Jeg havde engang en samtale med en neurokirurg, der anfægtede tilstedeværelsen af den usynlige verden ved at sige, at han havde skåret i tusinder af kroppe og aldrig set en sjæl. Jeg husker hans forlegne udtryk, da jeg spurgte ham, om han nogensinde havde set en tanke, mens hans rodede rundt i en hjerne.

☾

# 8. DECEMBER

Har du nogensinde lagt mærke til, hvor svært det er
at diskutere med en, der ikke er optaget af at få ret?

# 9. DECEMBER

Gør en samlet indsats for at lade kroppens naturlige evne til helbredelse og trivsel slå igennem. Fokuser ikke på, hvad der er galt med kroppen og i dit liv, og skift tankerne ud med nogle, der lader dig bevare harmonien med din oprindelige energi. For eksempel kan du i stedet for at sige: „Jeg føler mig syg" – sige: „Jeg vil gerne have det godt, og derfor lader jeg min naturlige kontakt med velvære tage over lige nu." Forbedringen af din måde at tale med dig selv på åbner for inspirationens strøm.

# 10. DECEMBER

Man bør ikke opfatte himlen som et sted, man først kommer til, når man forlader den jordiske eksistens. Det forekommer mig, at man hellere skal ønske sig at opleve himlen her på jorden.

# 11. DECEMBER

Hvis du falder, betyder det ikke, at du er mindre vær-
difuld. Det betyder bare, at der er noget, du kan lære
af faldet.

# 12. DECEMBER

Det modsatte af mod er ikke så meget frygt, som det er konformitet.

# 13. DECEMBER

Jeg fik tit at vide som dreng og selv som universitets-
studerende, at jeg ikke havde det nødvendige talent
til at blive forfatter eller foredragsholder. Det var
først, da jeg besluttede at følge mine egne indre bil-
leder, at mine talenter begyndte at træde frem. Hvor-
for? Årsagen var, at jo mere jeg levede mit liv ud fra
et balancepunkt, der svarede til, hvad jeg følte var det
rigtige for mig, jo mere erfaring fik jeg, og jo mere
kom jeg i harmoni med universet. I denne harmoni
tiltrak og så jeg alle de muligheder og den vejledning,
der var til rådighed for mig. Havde jeg lyttet til dem,
der mente at vide bedre med hensyn til mine talen-
ter, ville jeg have tiltrukket præcis det, jeg troede på
– nemlig manglende evner.

# 14. DECEMBER

Hvis du oplever, at du bliver behandlet på en måde, du ikke bryder dig om, eller som gør dig til offer, må du stille dig selv følgende spørgsmål: „Hvad har jeg gjort for at lære denne person, at den form for adfærd er noget, jeg er villig til at tolerere?"

# 15. DECEMBER

Du er i stand til at nå ind i de højere dimensioner for bevidst at opfylde dine højeste ønsker her og nu – til alles bedste. Det er som at slå en saltomortale og lande i en ny virkelighed – en virkelighed, hvor alt er muligt, en virkelighed, hvor du ikke længere identificerer dig med alle de kulturelle memer og bevidsthedsvira, der blev programmeret ind i dig som ung for at forberede dig på et almindeligt liv.

# 16. DECEMBER

Selv hvis du ikke ved, hvad du burde gøre, eller hvad din mission er, er du nødt til at arbejde på at skabe visionen alligevel.

☾

# 17. DECEMBER

Længe blev det krævet af os, at vi hadede russerne, og derefter kom iranerne. Vi skulle elske irakerne, men kun kortvarigt. Så kom de også på hadelisten. Vi var nu tvunget til at hade de førhen så elskede irakere, men det var i orden at elske de iranere, vi havde fået besked på at hade bare ti år tidligere. Så kom Taliban og nogle endnu mere obskure kategorier som terrorister, vi plejede at skulle elske, og oprørere, som uanset hvem de måtte være, nu blev obligatoriske mål for vores had.

Dette hadefulde litani fortsætter uden ende! Ansigterne skifter, men budskabet er det samme. Vi får at vide, hvem vi skal hade, uden at det et øjeblik går op for os, at fjenden, vi faktisk skulle hade, ikke er en nationalitet. *Fjenden er hadet selv!*

# 18. DECEMBER

En tv-interviewer spurgte mig engang, om jeg nogensinde følte mig skyldig over at tjene så meget på mine bøger og indspilninger. Til hendes store overraskelse svarede jeg: „Jeg ville føle skyld, hvis det nu ikke var sådan, at jeg ikke kan gøre for det." Da hun spurgte, hvad jeg mente, forklarede jeg, at pengene altid er kommet strømmende til mig, fordi jeg altid har haft en indre følelse af, at jeg *er* penge. Jeg tiltrækker velstand, fordi jeg føler mig berettiget til den – faktisk føler jeg, at det ligefrem er en definition på mig ...

Som barn forstod jeg, at det at samle sodavandsflasker indbragte ørebeløb, der blev til kronebeløb. Jeg opdagede, at det kastede rigdom af sig at hjælpe damer med deres indkøb, rydde sne for dem eller tømme asken fra deres kulfyr. Og i dag samler jeg stadig sodavandsflasker, rydder sne og bærer aske ud, men bare i en meget større skala. Velstanden forfølger mig stadig, fordi jeg fortsat er i harmoni med min oprindelige ånd, der er overflod og velstand.

# 19. DECEMBER

Intet af det, der forhindrer dig i at vokse, er værd at forsvare.

# 20. DECEMBER

At forsøge at gøre noget er inspirerende, også selv om det ikke lykkes. Vi er nemlig ikke tilbøjelige til at fortryde det, vi gør. Vi fortryder det, vi *ikke* gjorde.

# 21. DECEMBER

Lær det underbevidste sind at kende. Underbevidst-
heden handler på baggrund af det, du programmerer
ind i den. Den bliver din automatiske bevidsthed, der
handler vanemæssigt. Vælg en vane, som du gerne vil
gøre automatisk – for eksempel at være generøs. Sig
til dig selv: *Jeg er et generøst menneske*. Giv noget væk
i en generøs ånd, også selv om det kun er en lille mønt
eller en opmuntrende bemærkning. Jo flere tanker og
handlinger du har i forbindelse med dit nye „*jeg er*",
jo mere vil underbevidstheden reagere i overenstem-
melse med det, indtil den til sidst handler generøst
ud fra den nye vane, du har skabt. Du har magt til at
præge underbevidstheden med præcis det „*jeg er*", du
måtte ønske.

# 22. DECEMBER

Hvis du kaster dig ud i livets kamp, skal du vide, at du vil opleve mange gevinster og tab uagtet omfanget af dit talent.

# 23. DECEMBER

Hemmeligheden bag at genvinde balancen her i livet er ikke nødvendigvis at ændre adfærd. Det handler mere om at genskabe harmonien og *opbygge en være-måde, der afløser de stadige skift mellem kamp og tilba-getrækning.* Når vi bruger magt til at løse vores uoverensstemmelser, fremkalder vi straks en modreaktion. Det er i det store og hele forklaringen på den uophørlige cyklus af krige, der har bestemt menneskets historie. Magt, modreaktion, mere magt og kampene fortsætter, generation efter generation.

Det samme gælder også i dig selv. En hadefuld tanke avler en tanke om hævn, hvilket fører til endnu mere hadefulde tanker. Og det virkelige problem er, at disse tanker om had og hævn begynder at definere din eksistens. Dit ønske om at leve fredfyldt er et spirituelt balanceret ønske. For at virkeliggøre det skal du udsende tanker, der svarer til energien i ønsket. Hadefulde tanker får ikke din ønskede fred til at blomstre. *Du tiltrækker mere og mere af det, du ønsker at blive af med.*

# 24. DECEMBER

Husk denne simple sandhed: *Svaret på hvordan er ja.*
Måske får du aldrig at vide, præcis hvordan du skal
forløse følelsen af inspiration, men ved at sige *ja!* til
livet og alt, der kalder på dig, løser *hvordan* sig af sig
selv.

# 25. DECEMBER

Ligesom vi alle er elever hele livet, er vi også lærere. Faktisk lærer vi bedst ved at tilbyde så mange mennesker som muligt det, vi ønsker for os selv, så tit det er muligt. Hvis jeg instruerer nok mennesker i en tilstrækkelig lang periode, formidler jeg faktisk det, *jeg* mest brændende ønsker at lære.

# 26. DECEMBER

Den største gave, du nogensinde har fået, er fantasiens gave. I din magiske indre verden findes evnen til at få alle ønsker opfyldt. Her i fantasien ligger den største kraft, du nogensinde vil lære at kende. Det er det sted, hvor du skaber dit ønskede liv, og det bedste ved det er, at du er kongen og har en naturlig magt til at bestemme over din verden efter eget ønske.

# 27. DECEMBER

Følg din højre hjernehalvdel, lyt til, hvordan du har det, og sæt din helt egen yndlingsmusik på. Så behøver du ikke frygte noget eller nogen, og du vil aldrig opleve den rædsel, det er at ligge på dit dødsleje en dag og sige: „Hvad nu, hvis hele mit liv har været forkert?" Din usynlige ledsager til højre for dig prikker dig på skulderen hver eneste gang, du bevæger dig væk fra dit formål. Ledsageren gør dig opmærksom på din musik. Lyt til den – og dø ikke med den musik gemt væk i dig selv.

# 28. DECEMBER

Jeg forventer en fredelig verden – og dertil sundhed, overflod og kærlighed i mit liv og i alle andres – og jeg ved, at det går i den retning. Jeg ved, at der er millioner af venlige handlinger for hver eneste tilsyneladende ond handling. Her har jeg min opmærksomhed, og det er det, jeg vælger at give videre ... jeg ser beostærene synge hver morgen, og jeg ved, at de gør det, fordi de har svarene på alle livets problemer. De har en indre sang, som de åbenbart føler trang til at lukke ud. Jeg har også en sang at synge, og ved at blive i-ånden kan jeg synge den hele dagen, hver dag.

Jeg ved, at svaret på: „Hvad bør jeg gøre?" – er at se ordet *ja* på min indre tavle. „Ja, jeg lytter," „ja, jeg er opmærksom" – og vigtigst af alt: „Ja, jeg er parat."

# 29. DECEMBER

Du er en unik og guddommelig skabning. Du har del i samme livskraft som den, der var i Moses, Jesus, Buddha, Moder Teresa, Muhammed, Frans af Assisi eller ethvert andet guddommeligt væsen, du kan komme i tanke om. Der er kun en livskraft og en guddommelig magt. Når den viser sig som tvivl, frygt, had eller selv ondskab, er det stadig den samme kraft, men den bevæger sig væk fra Gud i ego-bevidstheden. Når den viser sig som tro, glæde, tilgivelse, håb, lys og kærlighed, er det samme kraft, der enten bevæger sig hen mod Gud eller er i harmoni med Guds bevidsthed.

# 30. DECEMBER

Vi dit liv til noget, der afspejler en bevidsthed om din guddommelighed. Du er den personificerede storhed, et inkarneret geni og en kreativ mester – uanset hvad andre mener. Træf en indre beslutning om at opmuntre og udtrykke din guddommelige natur.

# 31. DECEMBER

Dybest set beder jeg dig om ikke at tage dit liv så personligt. Du kan gøre en ende på alle lidelser ved at minde dig selv om, at intet i universet er personligt. Selvfølgelig har du lært at tage livet meget personligt, men det er en illusion. Tæm egoet, og befri dig selv helt for nogensinde at skulle tage noget personligt.

# OM FORFATTEREN

---

Wayne W. Dyer fik af sine fans det kærlige tilnavn „motivationens fader". Han var en internationalt kendt forfatter, foredragsholder og foregangsmand inden for selvudvikling. I de mere end 40 år, han virkede aktivt, skrev han over 40 bøger (hvoraf 21 blev *New York Times*-bestsellere), lavede utallige lydbånd og videoer og optrådte i tusindvis af tv- og radioprogrammer. Hans bøger *Manifest Your Destiny* (*Bestem din skæbne*), *Wisdom of the Ages* (*Evig visdom*), *There's a Spiritual Solution to Every Problem* (*Spirituelle løsninger*) og *New York Times*-bestsellerne *10 Secrets for Success and Inner Peace*, *The Power of Intention* (*Intentionens kraft*), *Inspiration*, *Change Your Thoughts – Change Your Life*, *Excuses Begone!*, *Wishes Fulfilled* (*Fra ønske til virkelighed*) og *I Can See Clearly Now* var alle med i særudsendelser på landsdækkende tv. Wayne havde en doktorgrad i karriererådgivning fra Wayne State University og var ekstern professor ved St. John's University i New York. Han var livet igennem engageret i at finde og erfare det højere selv. Han forlod kroppen i 2015 og vendte tilbage til den evige kilde, hvorfra han stævner ud på sit nye eventyr.

Hjemmeside: www.DrWayneDyer.com

# OGSÅ AF
# WAYNE W. DYER

---

**BØGER**

Being in Balance
Change Your Thoughts – Change Your Life
Co-creating at Its Best (med Esther Hicks)
Don't Die with Your Music Still in You (med Serena Dyer)
The Essential Wayne Dyer Collection (omfatter The Power of
Intention, Inspiration og Excuses Begone! i ét bind)
Everyday Wisdom
Everyday Wisdom for Success
Excuses Begone!
Getting in the Gap (bog-med-audio-download)
Good-bye, Bumps! (børnebog med Saje Dyer)
I Am (børnebog med Kristina Tracy)
I Can See Clearly Now
Incredible You! (børnebog med Kristina Tracy)
Inspiration
The Invisible Force
It's Not What You've Got! (børnebog med Kristina Tracy)
Living the Wisdom of the Tao
Memories of Heaven
My Greatest Teacher (med Lynn Lauber)
No Excuses! (børnebog med Kristina Tracy)
The Power of Intention

The Power of Intention (gaveudstyr)
A Promise Is a Promise
The Shift
Staying on the Path
10 Secrets for Success and Inner Peace
Unstoppable Me! (børnebog med Kristina Tracy)
Your Ultimate Calling
Wishes Fulfilled

## LYDBØGER/CD'ER

Advancing Your Spirit (med Marianne Williamson)
Applying the 10 Secrets for Success and Inner Peace
The Caroline Myss & Wayne Dyer Seminar
Change Your Thoughts – Change Your Life
(uforkortet lydbog)
Change Your Thoughts Meditation
Co-creating at Its Best (uforkortet lydbog)
Divine Love
Dr. Wayne W. Dyer Unplugged (interviews med Lisa Garr)
Everyday Wisdom (lydbog)
Excuses Begone! (fås som lydbog og som forelæsning)
How to Get What You Really, Really, Really, Really Want
I AM Wishes Fulfilled Meditation (med James Twyman)
I Can See Clearly Now (uforkortet lydbog)
The Importance of Being Extraordinary (med Eckhart Tolle)
Inspiration (forkortet sæt med 4 cd'er)
Inspirational Thoughts
Making the Shift (sæt med 6 cd'er)
Making Your Thoughts Work for You (med Byron Katie)

Meditations for Manifesting
101 Ways to Transform Your Life (lydbog)
The Power of Intention (forkortet sæt med 4 cd'er)
A Promise Is a Promise (lydbog)
Secrets of Manifesting
The Secrets of the Power of Intention (sæt med 6 cd'er)
10 Secrets for Success and Inner Peace
There Is a Spiritual Solution to Every Problem
The Wayne Dyer Audio Collection/CD Collection
Wishes Fulfilled (uforkortet lydbog)

**DVD'ER**

Change Your Thoughts – Change Your Life
Co-creating at Its Best (med Esther Hicks)
Excuses Begone!
Experiencing the Miraculous
I Can See Clearly Now
The Importance of Being Extraordinary (med Eckhart Tolle)
Inspiration
Modern Wisdom from the Ancient World
My Greatest Teacher (en film om Wayne med
bonusmateriale)
The Power of Intention
The Shift (fås som en enkelt dvd, et udvidet sæt på 2 dvd'er
og en video på internettet, der kan streames)
10 Secrets for Success and Inner Peace
There's a Spiritual Solution to Every Problem
Wishes Fulfilled

**KALENDER**
Daily Inspiration from Dr. Wayne W. Dyer
(for hvert enkelt år)


## BØGER PÅ DANSK

*Forny dig selv*
*Befri dig selv*
*Du ser det når du tror det*
*Lær dine børn lykke*
*Lad dig ikke manipulere*
*Dit evige selv*
*Bestem din skæbne*
*Evig visdom*
*Spirituelle løsninger*
*Intentionens kraft*
*Fra ønske til virkelighed*